La collection « Azimuts » est dirigée
par Monique Gagnon-Campeau
et Patrick Imbert

D0370224

:

L'enfant du Mékong

De la même auteure

Dérive, récit, Montréal, Éditions du Remue-Ménage, « À vrai dire », 1993. Réédition : Les Éditions Medianik, 2000.

Azimuts | roman

Nicole Balvay-Haillot
L'enfant du Mékong

Données de catalogage avant publication

Balvay-Haillot, Nicole, 1942-

L'enfant du Mékong

(Azimuts. Roman)

ISBN 2-89537-020-6

I. Titre. II. Collection.

PS8553.A457E53 2000	C843'.54	C00-941108-9
PS9553.A457E53 2000		
PQ3919.2.B34E53 2000		

Nous remercions le Conseil des Arts du Canada de l'aide accordée à notre programme de publication. Nous reconnaissons l'aide financière du gouvernement du Canada par l'entremise du Programme d'Aide au Développement de l'Industrie de l'Édition (PADIÉ) pour nos activités d'édition. Nous remercions également la Société de développement des industries culturelles pour son appui, ainsi que la Ville de Hull.

Dépôt légal — Bibliothèque nationale du Québec, 2000
Bibliothèque nationale du Canada, 2000

Correction d'épreuves : Jean-Marie Brière

Infographie : Christian Quesnel

Éditions Vents d'Ouest
185, rue Eddy
Hull (Québec)
J8X 2X2
Téléphone : (819) 770-6377
Télécopieur : (819) 770-0559
Courriel : ventsoue@magi.com

Diffusion au Canada : PROLOGUE INC.
1650, boul. Lionel-Bertrand
Boisbriand (Québec)
J7H 1N7
Téléphone : (450) 434-0306
Télécopieur : (450) 434-2627

Diffusion en France : DEQ
Téléphone : 01 43 54 49 02
Télécopieur : 01 43 54 39 15

Un voyage se passe de motifs,
il ne tarde pas à prouver
qu'il se suffit à lui-même.
On croit qu'on va faire un voyage,
mais bientôt c'est le voyage qui vous fait,
ou vous défait.

L'usage du monde
Nicolas BOUVIER

À NOS PIEDS coule le fleuve, omniprésent, puissant, indifférent à notre présence. Pourtant, il fait partie de notre paysage. Comme le ruisseau, la prairie, les deux collines, derrière la maison. Beauté grandiose qui incite au calme, à la détente.

Que de chemin parcouru pour en arriver à ce bonheur tranquille!

Que de chemin, en effet!

 co

Amitié, ami, mari… Au bord du fleuve, j'observais Mark à la dérobée. Tentant en diable avec son allure racée de bel animal, les quelques poils blonds qui s'échappaient de l'échancrure de sa chemise. Tentant et lointain. Mark, d'abord simple connaissance, puis un ami, devenu un intime.

Je le connaissais depuis qu'il avait commencé le yoga, un an auparavant. Il aimait mes cours, ma manière d'enseigner, le calme, l'atmosphère détendue dont j'avais, disait-il, le secret. La rigueur aussi que j'exigeais de moi comme de mes élèves pour étudier les postures, respirer jusqu'au plus profond de soi. Était-ce moi ou le yoga, mais il avait avoué que nos rencontres l'aidaient à calmer son tempérament impatient. J'avais sympathisé avec cet élève courtois, assidu, visiblement sincère et qui savait aussi garder ses distances. Nous nous étions vus de plus en plus souvent en dehors des cours et puis, cadeau de Noël inattendu, il m'avait offert le mariage. Je ne l'aimais pas à la folie. Lui non plus. Notre relation, avions-nous reconnu, avait pour base l'amitié, le respect, la recherche d'un idéal commun de paix et de sérénité. J'avais cru au bonheur qu'il m'offrait. Ensemble, nous construirions un centre de retraite, aboutissement d'un rêve qui se faisait de plus en plus pressant pour moi. C'était cela, notre pacte, notre union, la promesse d'un avenir, l'oubli d'un passé sur lequel l'un comme l'autre nous nous faisions discrets. Cependant, il m'avait semblé qu'un voyage nous permettrait de mieux nous connaître avant d'unir nos vies. Mark n'était jamais allé en Asie, moi je voulais connaître le Laos, le pays de Seng Soukh, descendre ce fameux Mékong qu'elle avait traversé. Voilà, nous y étions.

Au bord du fleuve immense et calme, Mark avait fermé les yeux et méditait; moi, j'avais des fourmis dans les jambes et des questions plein la tête. Majestueux, le Mékong étalait paresseusement ses bancs de sable et ses eaux tranquilles. Pas du tout l'idée que je m'en étais faite. Je m'attendais à plus de fougue, plus d'eau. Je n'étais cependant pas déçue. Il était trop tôt pour cela. Non, je me sentais curieuse plutôt, curieuse de le découvrir, de cheminer avec lui, prête à m'en faire un intime, comme Mark. Impossible de faire le vide dans ma tête quand, avec un compagnon de voyage si nouveau, des sanctuaires, des monastères, un parc, des bouddhas, un fleuve enfin m'attendaient! Mais je n'aurais pour rien au monde troublé Mark dans sa méditation.

Question insidieuse, comparaison saugrenue, c'est fou ce qui peut nous passer par la tête au moment où on s'y attend le moins : qu'aurait fait David devant le Mékong? Aurait-il lui aussi médité, tel Bouddha sous l'Arbre de vie? Non. Lui, si vif, si fougueux, si joyeux, il m'aurait entraînée par la main au petit matin. Nous aurions dansé sur la rive du fleuve pour que se lève le soleil. Nous aurions couru jusqu'aux temples nous prosterner devant les bouddhas. La journée aurait été une fête.

J'ai regardé passer le ciel dans l'eau du fleuve. J'y ai lu le présent, l'instant présent, rien que le présent; rien du passé, rien de l'avenir. Tout doucement, ma respiration s'est calmée, mon corps s'est détendu, mes pensées se sont tues. Entre ciel et terre sur la rive du fleuve, proche de Mark et loin de lui à la fois, je suis partie vers l'azur, le vide, le silence, l'oubli, toute baignée de la lumière du soleil.

❧

Destination : Phonsavanh, dans les montagnes au nord-est du pays, loin du Mékong. Quelle aventure !

J'aurais pu choisir plus facile comme voyage : un séjour à la mer, sur une plage tranquille des Caraïbes, une croisière sur un paquebot de luxe, comme me l'avait proposé Mark, un voyage de noces avant les noces, un voyage de tout repos en quelque sorte. Mais je lui avais vanté l'exotisme de l'Asie, le plaisir que nous aurions à découvrir ensemble un pays qui s'ouvrait à peine au tourisme. Bref, j'avais converti Mark à mon idée, mon rêve. Il avait paru enchanté, enthousiaste même. S'il avait d'abord suggéré de faire réserver par une agence de voyages hôtels, avions, voitures et guides, je l'avais aussi convaincu que nous y perdrions beaucoup en aventure. Son besoin de décider pour lui-même, ainsi que notre goût pour la solitude et la méditation en souffriraient. Il avait convenu qu'un voyage en duo, en effet, ce serait mieux.

Défi de taille, je n'étais pas sans le savoir ! Contraste total avec notre vie à Montréal, facile, limpide. Chacun de notre côté la plupart du temps, plus ou moins ensemble pour le yoga, la méditation, et depuis peu, les fins de semaine. Vie agréable, sans histoire, tranquille, ponctuée de silence dans l'ambiance ouatée de notre confort citadin.

Autrefois, avec David, mon partenaire sur scène et dans la vie, c'était tous les jours fête et course folle, au nom de la danse, de la fantaisie et de la joie de vivre. Toujours ensemble lui et moi sur tous les chemins, ceux de l'amour, ceux de la gloire, ceux de la mort. Comment dire? Il est si difficile de raconter parfois. L'amour, la gloire, la danse m'ont quittée avec David sans me dire au revoir, par une nuit sans lune. Je ne me souviens de rien. Si, du crissement des pneus, des lumières qui approchaient, aveuglantes, d'un choc, d'un tourbillon. Et puis, le trou noir, le silence. C'était le soir. Un samedi soir. Un homme ivre qui roule dans le mauvais sens sur l'autoroute, qui vient droit sur nous. Et voilà, c'est tout... Nous étions partis vers la lumière. Elle n'avait pas voulu de moi, elle avait pris David. Plus tard, beaucoup plus tard, dans ma brume comateuse, j'avais ouvert les yeux sur des visages souriants, réconfortants, jamais le sien. Il m'avait fallu du temps pour qu'enfin, à leur silence, à la tristesse qui se lisait dans leurs yeux, je comprenne que je ne le reverrais plus. Choc, douleur, souffrance, refus de vivre. Pas sans David. Pas dans ce corps blessé, pauvre petite enveloppe, pitoyable prison de chair qui jamais plus ne me donnerait le bonheur du passé. Partir. Le retrouver. Mais une main invisible m'avait retenue. Comble de l'ironie, j'avais perdu l'enfant que je portais. David était mort sans savoir que nous avions conçu un enfant.

Finie la danse, finie la fête, fini l'amour.
Un grand vide, un trou, une absence.
La mort.
Une grande mort, la sienne.
Une petite mort, la mienne.

Une jambe raide, un poids mort, des cicatrices, un pied qui ne tourne plus, qui ne dansera plus, une

18

LE FLEUVE, l'autre, je voulais le voir, le sentir, le respirer, le vivre au jour le jour. J'en rêvais depuis longtemps. À cause de Seng Soukh sans doute, qui m'avait raconté, comme une simple anecdote qui la faisait sourire, qu'elle l'avait traversé, la nuit, en barque, pour fuir son pays. Fleuve frontière entre Laos et Thaïlande; fleuve de vie pour les populations installées depuis toujours sur ses rives; fleuve de la liberté pour ceux qui s'exilaient, chassés par la guerre, la répression, la misère; fleuve du pouvoir aujourd'hui, quand tant de gens, puissants et moins puissants, convoitent sa richesse; fleuve mythique pour moi avant de le connaître, de l'apprivoiser. C'était tout cela le Mékong!

Nous avions quitté Montréal pour Paris. Puis pour Bangkok. Un long vol dans une interminable nuit. Dans l'avion de Bangkok à Vientiane, je m'étais retrouvée à côté d'un jeune homme dont j'aurais eu du mal à dire la nationalité. Né au Laos, de parents vietnamiens, il vivait en Suisse avec sa femme, de nationalité suisse, et leur petit garçon. Il venait voir sa famille, tout seul, à cause du prix du billet. Il allait dans le sud du Laos, à Savannakhet. Autrefois, il avait lui aussi traversé le Mékong. En cette nuit de pleine lune, le fleuve était si calme, si lumineux, que les patrouilles d'habitude en alerte avaient plié bagage, persuadées que personne n'oserait se risquer sur l'eau. Tapi au fond d'une barque, la peur au ventre, il n'entendait que le bruit d'enfer des rames glissant sur l'eau et guettait le coup de feu qui mettrait fin à sa fuite. Mais il avait touché sain et sauf à l'horizon de l'espoir.

J'ai traversé le fleuve moi aussi. En rêve. L'immensité liquide s'étalait devant moi ; à mes côtés, sur la berge, souriait une Seng Soukh qui m'invitait à avancer. L'eau clapotait doucement. Je ne voyais rien au loin. Je n'osais m'aventurer. Je me retrouvais dans une pirogue basse, si basse qu'on aurait dit un jouet d'enfant. Plus elle avançait sur l'eau, plus montait en moi la panique. Sur la rive devenue proche, des femmes m'encourageaient de la main dans de grands éclats de rire. Des cocotiers, des bambous, des potagers, le soleil, la lumière, Seng Soukh à nouveau, comme si j'avais fait tout ce voyage pour rien ! Seng Soukh qui me ramenait à la vie !

Tout ce long voyage pour voir le Mékong ! Trois avions et la moitié de la planète rien que pour lui. À l'arrivée, j'ai tendu mon passeport à un douanier au regard soupçonneux, ou tout simplement endormi peut-être. Une femme blonde coiffée d'un chapeau de paille, aux yeux bleus cachés derrière des lunettes de soleil, avec un nom bizarre qui ne lui dit rien, le pays d'où elle vient non plus, et un homme qui semble être son compagnon — peut-être est-ce la cause du regard soupçonneux —, mais ça lui suffit, au douanier. Sans savoir rien sur cette femme, il en sait assez pour la laisser passer !

C'est vrai, cela ne dit rien, un passeport, ou si peu : une date de naissance, un lieu de naissance, une citoyenneté, mais rien de l'enfance solitaire de la fillette qui détestait la neige, des petites compagnes de jeu qui adoraient ces horribles pentes de ski gelées, elle qui n'aimait que la musique et la danse. Il ne sait rien, ce douanier, de cette danse qui la sauva de tout, du ski, du froid et lui donna tout, la joie, la musique, l'amour, mais il s'en fiche le douanier, comme il se fiche de savoir que l'homme à ses côtés n'est pas son légitime époux.

Curieuse impression que l'arrivée à Vientiane. Le petit aéroport n'avait d'international que le nom. À l'extérieur, sur une place déserte, quelques rares taxis attendaient les aussi rares touristes. Une piste de terre rouge flanquée de jardins potagers menait à la capitale. Ça, la capitale du Laos, cette grosse bourgade! Une ville de campagne plutôt, avec ses quelconques bâtiments alignés le long de deux rues parallèles que sillonnaient d'interminables files de motos et de mobylettes.

Au bord du fleuve, nous avions trouvé un hôtel confortable, sans plus. Épuisés, nous avions dîné et filé au lit sans chercher à en savoir plus sur la ville. Je m'étais réveillée au petit matin, toute perdue. Dans ce décor inconnu, j'avais regardé l'homme qui dormait dans le lit tout proche comme si c'était la première fois que je le voyais. Un bel homme à la peau pâle, au crâne lisse, à la poitrine duveteuse, la petite quarantaine, aussi beau qu'inaccessible, lointain, sur la rive inconnue du sommeil. Il me fit l'impression d'un bel objet que je n'oserais toucher de peur de le casser. Curieuse idée qui me fit rire! Mark avait un corps d'athlète dont il était fier, qu'il aimait montrer sur un court de tennis ou de squash. J'eus envie de me lever, de me glisser à ses côtés, de le caresser, mais n'en fis rien. Je sautai du lit, filai vers la salle de bains : impossible qu'il me voie en ce premier matin d'intimité dans toute ma beauté nue et sans artifices. Il me fallait réparer sur mon visage les outrages de la nuit et du voyage.

Salle de bains typique de l'Asie. Propre, très propre, mais rudimentaire, bien loin du luxe nord-américain. Cela m'amusait soudain de me retrouver dans pareil décor. J'avais oublié, ou presque. Les souvenirs me revenaient toutefois bien vite : enfiler les tongs pour prendre une douche et ne pas marcher pieds nus par terre, éviter l'eau du lavabo qui s'écoule sur le sol au risque de vous éclabousser, se laver les dents à l'eau minérale embouteillée, se tartiner le visage de crème pour éviter les dégâts du soleil. Une nouveauté cependant : me faire une beauté, me maquiller. Devant le miroir éclairé par la lumière crue d'un néon, j'hésitai. Pourquoi ne pas me montrer à Mark sans fard, dans le simple appareil d'une voyageuse au long cours ? À Vientiane, je n'étais plus une citadine ; je pouvais reléguer aux oubliettes ma panoplie d'élégante montréalaise. Mais non ! L'habitude, sans doute, autant que le souci de paraître à son mieux, en dépit de l'effet combiné de l'heure matinale et du décalage horaire !

Premier petit déjeuner au bout du monde. Une terrasse de bois plantée sur la rive du Mékong, au milieu d'autres constructions de bambou. La rue pour y accéder était défoncée, on y construisait le tout-à-l'égout. Le ciel était bleu, merveilleusement bleu et chaud en ce mois de février. J'en riais d'aise à l'idée qu'à Montréal, il neigeait, gelait, grelottait. De l'autre côté du fleuve se devinait la Thaïlande, avec ses maisons, ses immeubles, son béton. Contraste presque irréel. Proche de Vientiane, un pont, alors le seul sur les quatre mille deux cents kilomètres de ce fleuve venu du Tibet. Cadeau de l'Australie, il s'appelle le pont de l'Amitié.

Amitié, ami, mari… Au bord du fleuve, j'observais Mark à la dérobée. Tentant en diable avec son allure racée de bel animal, les quelques poils blonds qui s'échappaient de l'échancrure de sa chemise. Tentant et lointain. Mark, d'abord simple connaissance, puis un ami, devenu un intime.

Je le connaissais depuis qu'il avait commencé le yoga, un an auparavant. Il aimait mes cours, ma manière d'enseigner, le calme, l'atmosphère détendue dont j'avais, disait-il, le secret. La rigueur aussi que j'exigeais de moi comme de mes élèves pour étudier les postures, respirer jusqu'au plus profond de soi. Était-ce moi ou le yoga, mais il avait avoué que nos rencontres l'aidaient à calmer son tempérament impatient. J'avais sympathisé avec cet élève courtois, assidu, visiblement sincère et qui savait aussi garder ses distances. Nous nous étions vus de plus en plus souvent en dehors des cours et puis, cadeau de Noël inattendu, il m'avait offert le mariage. Je ne l'aimais pas à la folie. Lui non plus. Notre relation, avions-nous reconnu, avait pour base l'amitié, le respect, la recherche d'un idéal commun de paix et de sérénité. J'avais cru au bonheur qu'il m'offrait. Ensemble, nous construirions un centre de retraite, aboutissement d'un rêve qui se faisait de plus en plus pressant pour moi. C'était cela, notre pacte, notre union, la promesse d'un avenir, l'oubli d'un passé sur lequel l'un comme l'autre nous nous faisions discrets. Cependant, il m'avait semblé qu'un voyage nous permettrait de mieux nous connaître avant d'unir nos vies. Mark n'était jamais allé en Asie, moi je voulais connaître le Laos, le pays de Seng Soukh, descendre ce fameux Mékong qu'elle avait traversé. Voilà, nous y étions.

Au bord du fleuve immense et calme, Mark avait fermé les yeux et méditait; moi, j'avais des fourmis dans les jambes et des questions plein la tête. Majestueux, le Mékong étalait paresseusement ses bancs de sable et ses eaux tranquilles. Pas du tout l'idée que je m'en étais faite. Je m'attendais à plus de fougue, plus d'eau. Je n'étais cependant pas déçue. Il était trop tôt pour cela. Non, je me sentais curieuse plutôt, curieuse de le découvrir, de cheminer avec lui, prête à m'en faire un intime, comme Mark. Impossible de faire le vide dans ma tête quand, avec un compagnon de voyage si nouveau, des sanctuaires, des monastères, un parc, des bouddhas, un fleuve enfin m'attendaient! Mais je n'aurais pour rien au monde troublé Mark dans sa méditation.

Question insidieuse, comparaison saugrenue, c'est fou ce qui peut nous passer par la tête au moment où on s'y attend le moins : qu'aurait fait David devant le Mékong? Aurait-il lui aussi médité, tel Bouddha sous l'Arbre de vie? Non. Lui, si vif, si fougueux, si joyeux, il m'aurait entraînée par la main au petit matin. Nous aurions dansé sur la rive du fleuve pour que se lève le soleil. Nous aurions couru jusqu'aux temples nous prosterner devant les bouddhas. La journée aurait été une fête.

J'ai regardé passer le ciel dans l'eau du fleuve. J'y ai lu le présent, l'instant présent, rien que le présent; rien du passé, rien de l'avenir. Tout doucement, ma respiration s'est calmée, mon corps s'est détendu, mes pensées se sont tues. Entre ciel et terre sur la rive du fleuve, proche de Mark et loin de lui à la fois, je suis partie vers l'azur, le vide, le silence, l'oubli, toute baignée de la lumière du soleil.

☙

DESTINATION : Phonsavanh, dans les montagnes au nord-est du pays, loin du Mékong. Quelle aventure!

J'aurais pu choisir plus facile comme voyage : un séjour à la mer, sur une plage tranquille des Caraïbes, une croisière sur un paquebot de luxe, comme me l'avait proposé Mark, un voyage de noces avant les noces, un voyage de tout repos en quelque sorte. Mais je lui avais vanté l'exotisme de l'Asie, le plaisir que nous aurions à découvrir ensemble un pays qui s'ouvrait à peine au tourisme. Bref, j'avais converti Mark à mon idée, mon rêve. Il avait paru enchanté, enthousiaste même. S'il avait d'abord suggéré de faire réserver par une agence de voyages hôtels, avions, voitures et guides, je l'avais aussi convaincu que nous y perdrions beaucoup en aventure. Son besoin de décider pour lui-même, ainsi que notre goût pour la solitude et la méditation en souffriraient. Il avait convenu qu'un voyage en duo, en effet, ce serait mieux.

Défi de taille, je n'étais pas sans le savoir! Contraste total avec notre vie à Montréal, facile, limpide. Chacun de notre côté la plupart du temps, plus ou moins ensemble pour le yoga, la méditation, et depuis peu, les fins de semaine. Vie agréable, sans histoire, tranquille, ponctuée de silence dans l'ambiance ouatée de notre confort citadin.

Autrefois, avec David, mon partenaire sur scène et dans la vie, c'était tous les jours fête et course folle, au nom de la danse, de la fantaisie et de la joie de vivre. Toujours ensemble lui et moi sur tous les chemins, ceux de l'amour, ceux de la gloire, ceux de la mort. Comment dire ? Il est si difficile de raconter parfois. L'amour, la gloire, la danse m'ont quittée avec David sans me dire au revoir, par une nuit sans lune. Je ne me souviens de rien. Si, du crissement des pneus, des lumières qui approchaient, aveuglantes, d'un choc, d'un tourbillon. Et puis, le trou noir, le silence. C'était le soir. Un samedi soir. Un homme ivre qui roule dans le mauvais sens sur l'autoroute, qui vient droit sur nous. Et voilà, c'est tout... Nous étions partis vers la lumière. Elle n'avait pas voulu de moi, elle avait pris David. Plus tard, beaucoup plus tard, dans ma brume comateuse, j'avais ouvert les yeux sur des visages souriants, réconfortants, jamais le sien. Il m'avait fallu du temps pour qu'enfin, à leur silence, à la tristesse qui se lisait dans leurs yeux, je comprenne que je ne le reverrais plus. Choc, douleur, souffrance, refus de vivre. Pas sans David. Pas dans ce corps blessé, pauvre petite enveloppe, pitoyable prison de chair qui jamais plus ne me donnerait le bonheur du passé. Partir. Le retrouver. Mais une main invisible m'avait retenue. Comble de l'ironie, j'avais perdu l'enfant que je portais. David était mort sans savoir que nous avions conçu un enfant.

Finie la danse, finie la fête, fini l'amour.
Un grand vide, un trou, une absence.
La mort.
Une grande mort, la sienne.
Une petite mort, la mienne.

Une jambe raide, un poids mort, des cicatrices, un pied qui ne tourne plus, qui ne dansera plus, une infinie douleur, une souffrance sans nom, impossible à dire! Elle est partout, cette douleur, cette souffrance, dans le corps qui gémit, la jambe qui fourmille, la tête qui éclate, le cri qui meurt avant d'être hurlé, le vide des bras qui se referment sur rien, le baiser qui fuit avec la fin du rêve, la jouissance de l'amour cessant au premier battement des paupières, les larmes taries parce qu'elles ont trop coulé.

Un jour pourtant, dans le fracas de ma tête, monta un chant d'oiseau. Écartant les bras tels des ailes, je pris un envol malhabile, prête à esquisser un pas de danse avant de retomber sur le sol, lourde comme l'albatros. Bref instant d'éblouissement! La lumière me parut plus que belle : merveilleuse. Je ne faisais qu'un avec elle. La vie qui m'était accordée comme un sursis, dans un corps disgracié, la lumière me l'offrait, bénédiction, cadeau que je n'avais d'autre choix que d'accepter, défi que je n'avais d'autre choix que de relever.

Partir, il me fallait partir, marquer un temps d'arrêt entre passé et avenir. Loin, le plus loin possible. Déjà, j'avais pensé au Laos, à cause de Seng Soukh. C'était elle, anonyme aide-soignante parmi tant d'autres à l'hôpital, qui m'avait lavée, baignée, soignée, massée avec les mains les plus douces, où se sentait le plus d'amour. Qui m'avait réconfortée aux moments de désespoir, raccrochée à la vie quand l'envie me prenait de décrocher, me racontant un peu de sa vie à elle, à Montréal. Celle du Laos, autrefois, elle ne s'en souvenait qu'à peine. Le Mékong, bien sûr, puis les camps de réfugiés en Thaïlande. Connaître le mystère de Seng Soukh, le mystère de sa si grande compassion, de sa souffrance d'autrefois dans ce Laos dont je ne savais rien, voilà qui me tentait, mais le pays était alors interdit aux touristes. Il me restait toute l'Asie, cette Asie dont nous avions rêvé, David et moi, pour le jour où nous ne danserions plus.

❧

Rude épreuve que ce voyage en avion pour Phonsavanh !

À l'aéroport de Vientiane, j'avais eu la mauvaise idée de lire dans mon guide touristique que les pilotes de Lao Aviation, la seule compagnie aérienne du pays, volaient à vue plutôt qu'avec leurs instruments et que, nombreuses étant les montagnes et fréquent le brouillard, les accidents étaient légion. Mon cœur s'était serré malgré moi.

À peine avions-nous décollé que la carlingue s'était remplie de nuages ! L'avion volait dans les nuages, les nuages flottaient dans l'avion. La panique m'avait envahie, contractant tous les muscles de mon bassin, me lançant un coup d'épée dans la jambe. J'avais beau respirer profondément, impossible de me calmer. J'aurais voulu parler à Mark, prendre sa main, mais les yeux clos, il était parti sur son nuage à lui. Non loin de moi, un Laotien se frappait frénétiquement la tête sur le siège devant lui. Tout à coup, j'ai ri, toute panique envolée ; j'aurais voulu sauter au cou du bonhomme pour le rassurer. La climatisation, c'était ça, le mystère de tous ces nuages dans l'avion ! Les vrais nous narguaient dehors au ras de nos hublots !

Une heure plus tard, nous nous posions sans histoire au milieu d'un champ. Dans le hangar qui tenait lieu d'aérogare, une horde nous attendait, photos à l'appui, pour nous proposer services et chambres. Un peu désarçonnés, nous avions choisi une *guest-house* dans ce qui paraissait un adorable jardin. Consternation ! Si la chambre, très simple, donnait en effet sur un maigre jardin où poussaient des crotons, la salle de bains n'était qu'un réduit à ciel ouvert, avec une selle à la turque et un bac où croupissait un restant de vieille eau. De quoi réveiller chez Mark son indéniable esprit de décision! En une minute, il avait signifié à notre hôtesse que nous pliions bagage et foncé chez sa rivale voisine pour y retenir la dernière chambre. Minuscule, elle donnait sur un tout aussi minuscule carré de béton, mais ses murs, son plancher carrelé, son lavabo, ses toilettes, tout était d'une propreté méticuleuse, et l'eau, froide, coulait à volonté!

Pourquoi cette incursion dans les montagnes, loin du fleuve, tout près du Vietnam?

J'étais tombée un jour sur des photos en noir et blanc de la plaine des Jarres. Cela m'avait intriguée. Que faisaient là ces énormes jarres? Qu'étaient-elles? Des sarcophages? Des urnes funéraires? Des amphores pour le vin? Nul n'aurait su me le dire, Seng Soukh encore moins que tout autre.

Réparties sur trois sites, les jarres s'alignent sur des centaines de mètres, ici au sommet d'une colline, là au pied d'un escarpement. Qu'elles aient pu servir à ensevelir des morts, je n'ai aucune peine à le croire. J'aurais pu en effet pénétrer dans n'importe laquelle, m'y rouler en fœtus et m'endormir pour l'éternité. Ainsi, j'étais venue, j'en étais certaine, visiter un immense cimetière de dix mille ans. Pire, s'il m'avait pris la fantaisie de m'éloigner de l'étroit chemin qui y conduisait, j'aurais pu mourir moi-même, car, à perte de vue, à un jet de pierre des jarres, le sol était creusé d'énormes cratères que l'herbe, traîtreusement, avait envahis. Marques indélébiles laissées par des bombes.

Au pied d'une colline, non loin des jarres, notre guide nous conduit à une caverne qui avait servi d'abri à la population pendant les bombardements. En levant la tête, il me semble voir la fumée du campement s'échapper par les trous creusés dans la voûte. Fumée qui devait rester invisible, qui ne devait pas trahir l'abri. Il me semble aussi voir des enfants, des femmes, des paysans blottis autour de l'âtre, population martyrisée, condamnée à mourir sans même savoir pourquoi, à moins de fuir, comme Seng Soukh et sa famille. Interdits et secrets encore aujourd'hui, un petit aérodrome et un camp militaire se cachent tout près.

Le guide, qui ne nous lâche pas d'une semelle, nous raconte dans son anglais approximatif que pendant la guerre... Quelle guerre? Celle de 1965 à 1975, répond-il, de l'air étonné de quiconque l'a toujours su. Pendant la guerre donc, les avions américains, de retour du Vietnam du Nord, larguaient sur la plaine des Jarres les bombes qu'ils n'avaient pu lâcher sur leurs cibles, mais qu'ils ne pouvaient ramener à leur base, en Thaïlande. Toute la région est truffée de bombes.

J'aurais cru le guide sans peine s'il n'était tombé que quelques bombes. Pas des centaines de milliers. En fait, le pauvre garçon n'aurait pas su, ou pas pu, me dire la vérité. Elle est bien trop complexe et se démêle tout doucement, patiemment, comme un écheveau.

Du temps des Français déjà, le communisme s'était répandu dans la région, comme dans toute l'Indochine.

Sans égard pour les frontières! Les Français partis, le royaume du Laos aurait pu rester en paix, mais la guerre du Vietnam le fit basculer dans le chaos. Simple question de géographie autant que d'idéologie. Le chemin pour se rendre au delta du Mékong et à Saïgon étant plus court par le Laos, plus facile aussi puisqu'il passe par des plateaux, les communistes du Vietminh prirent l'habitude de l'emprunter pour aller ravitailler en troupes et en armes leurs sympathisants du sud. Ainsi naquit la célèbre piste Hô Chi Minh. Tous les efforts pour l'anéantir furent vains. Jamais les bombes américaines ne purent empêcher que, telle une hydre à sept têtes, la piste meurtrie renaisse à chaque fois de ses blessures, et avec elle, la Plaine, dont elle était un tronçon.

Pourquoi vouloir venir ici? Pour les jarres? Pour les bombes? Pour Seng Soukh, plutôt. Pour comprendre pourquoi elle avait traversé le Mékong par une nuit sans lune. Elle riait, Seng Soukh, quand j'essayais de trouver, et de comprendre, la vérité sur son pays! C'était ça, rire jaune, disait-elle. On riait quand on ne voulait pas répondre ou qu'on ne pouvait pas répondre. Et puis, quelle importance, ce passé! Pourquoi chercher à savoir qu'en 1975, après le départ des Américains et l'abolition de la royauté, l'exode des Hmongs avait commencé? Qu'il en partirait en deux ans plus de cent mille? « Dont toi, Seng Soukh? » Aucune importance. Elle ne voulait pas en parler. Tout ce qui comptait, c'était que le Canada l'avait accueillie, petite réfugiée maigrichonne et malade, l'avait soignée, éduquée, adoptée avant qu'elle-même ne l'adopte, mieux, ne l'aime. Seng Soukh, qui n'avait jamais vu de neige et qui avait eu si peur, aux premiers jours de l'hiver, qu'elle ne l'ensevelisse à jamais. Seng Soukh, qui n'avait pas alors les mots qu'il fallait pour demander à son professeur si la neige allait s'arrêter de tomber un jour. Seng Soukh, qui disait que notre langue était si difficile à parler, à lire, à écrire. Seng Soukh, qui ne savait rien lire d'autre que les merveilleux petits dessins de l'écriture laotienne qui, pour moi, restent tout un mystère! Seng Soukh, qui m'avait ramenée à la vie!

Mark avait grimpé sur une jarre. Sa silhouette élégante se détachait sur le ciel couleur d'encre. Je n'aurais pu le suivre sur cette jarre au corps lisse. Mark, le citadin, l'informaticien, le célibataire dont la vie paisible était réglée comme du papier à musique, m'apparut soudain aussi mystérieux que les jarres. Peut-être à cause de cet insolite chapeau de cow-boy que je ne lui avais jamais vu. Corps lisse, comme les jarres. Esprit lisse où tout s'explique, se rationalise. Un mystère un peu froid qu'il n'était pas désagréable de partager. Une bulle où j'avais ma place, tranquille, heureuse, sans complication. N'avais-je pas moi-même voulu me faire une bulle douillette et quelque peu mystérieuse où je lui avais accordé une petite place? Dans ce champ de jarres, Mark me semblait différent, presque inconnu, et sa présence, incongrue… Effet d'optique créé, j'en étais sûre, par le chapeau de cow-boy, la silhouette légère et lisse comme la jarre.

« Et puis? avais-je lancé tandis qu'il sautait sur le sol. Qu'en penses-tu, de ces jarres? »

Rien. Il n'en pensait rien. Si… C'était une promenade un peu lugubre, insolite.

L'étroit chemin qui mène au dernier champ de jarres longe une crête, nous obligeant à marcher à la queue leu leu. Au loin dans la plaine s'étirent des arbres rabougris, une terre jaune et craquelée, des fumées qui montent d'invisibles cabanes. Le ciel sombre s'était taché de rose. À la saison des pluies, l'eau monte partout, le chemin est détrempé, le riz verdoie à perte de vue, disait notre guide. Pays aux deux visages, celui de la saison sèche, que je voyais, celui de la mousson, que je ne connaîtrais pas. Comme le Canada, pays tour à tour de blancheur et de verdure, de froidure et de canicule.

Seng Soukh m'avait raconté qu'après avoir cru que la neige et l'hiver ne cesseraient jamais, elle s'était étonnée que l'été la replonge dans la chaleur tropicale de son pays, et qu'elle ait dû suer sang et eau à travailler dans les champs avec sa famille ! J'eus soudain l'impression que la vie est une succession d'instantanés, vrais et faux à la fois. Vrais dans l'instant, faux dans le temps, parce qu'ils donnent d'une vie, d'un pays, de gens, d'une ville, une image permanente mais trompeuse. Ainsi la photo d'un parasol sur une plage ou celle d'une chaise longue dans un jardin de fleurs évoquent-elles farniente et bonheur. Celle de Mark sur une jarre ou celle du ciel d'encre taché de rose feront croire que le Laos n'est qu'un pays touristique et rien ne transparaîtra de ses blessures et des séquelles laissées par une guerre meurtrière.

La mort, arrivée sans crier gare dans les soutes d'avions américains, décoche encore ici ses flèches au hasard. De temps à autre, un buffle, un enfant, saute en plein champ sur une bombe qui a oublié d'exploser en tombant. Notre guide nous avoue que sa mission est non seulement de nous mener aux jarres, mais de veiller à notre sécurité. Le Laos tient à ses touristes. Jamais, sous aucun prétexte, il ne doit nous laisser nous éloigner du chemin, non seulement à cause des bombes, mais aussi à cause des pillards. Mais qui sont-ils, ces pillards qui barrent les routes, obligeant même les Laotiens à voyager en avion, et qui pourraient nous détrousser, eux comme nous?

Les Hmongs.

Coupables d'avoir pris parti pour la France, du temps de l'Indochine, coupables d'avoir pris parti pour la royauté fantoche mise en place à cette époque et, comme si ce malheur, cette turpitude, ne suffisait pas, coupables d'avoir pris parti pour les Américains et le capitalisme par la suite. Coupables et punis depuis la fin de la guerre et la création de la République populaire démocratique du Laos. S'ils n'ont pas fui à l'étranger, les Hmongs sont exclus de tout : du droit d'occuper un poste à la fonction publique, du droit de vivre décemment dans des villages dignes de ce nom, du droit de posséder des rizières qui suffisent à les nourrir. Condamnés à mourir à petit feu, d'inanition, d'indignité, les coupables sont devenus rebelles. Réfugiés au cœur des montagnes impénétrables, ils attaquent les voyageurs, même les plus humbles, et les dépouillent de tout. Pas tous terribles, puisque certains vivent paisiblement en ville, mais tous mis à l'index. Comme ceux de ce misérable village proche des jarres.

Village à ras de terre, si différent des autres villages sur pilotis entrevus le long de la route. Dans ce que je n'ose appeler un chemin, et qui serait la rue principale, se promènent de petits cochons noirs et sales qu'un bât autour du cou empêche de fouiner de l'autre côté des clôtures, du côté des habitations. Des enfants dépenaillés, le nez sale, le derrière à l'air, du moins pour les plus jeunes, nous suivent à bonne distance, disparaissent dans une cahute. Ce qui me semblait un abri de fortune était une maison. Deux couples vivent là, un vieux et un jeune, et une nichée de gamins qui font cercle autour de nous. La petite maman qui porte son nourrisson sur son dos avait accouché là. Sans eau, sans électricité, sans médecin, sans sage-femme. Comme toutes les autres avant elle et encore bien d'autres après elle. Le nouveau-né dort avec ses parents, sur des nattes à même le sol de terre battue, enfoui avec eux dans des couvertures, au fond de la cabane enfumée. Ni pire ni mieux que l'enfant Jésus, sans doute.

Il fait frais déjà, en cette fin d'après-midi. Dans la pénombre où se distinguent à peine une théière et une cuvette, un bonhomme fume une longue pipe, assis en tailleur près du maigre feu de braises. À côté d'une ouverture qui tient lieu de fenêtre et apporte un peu de lumière, une femme tisse. Sur le seuil, ombres chinoises se découpant sur le ciel, deux femmes brodent. La mère et la fille ? Qui sait ? Elles n'ont pas d'âge. Jusqu'à quand vit-on, vieillit-on dans de telles conditions ? Combien meurt-il de nouveaunés ? De femmes en couches ? Ici pas de mouroirs pour vieillards. Et quand la pluie tombe en déluge de Noé, pendant les longs mois de la mousson, en quoi se transforme cette cabane ? Nous avons salué, les deux mains sur la poitrine, avant de rejoindre les cochons au dehors. En levant les yeux, je vis alors que les piliers du silo, construit à bonne hauteur pour protéger le grain des animaux, étaient faits de bombes récupérées et désamorcées.

Retour à Phonsavanh.

Comparée au village, Phonsavanh, ville-savane, fait maintenant villégiature de luxe! Enfin, tout est relatif! Rue unique, de terre rouge. Restes de chenilles de tanks pour passer les fossés. De chaque côté, des baraques de bois. Ici, un restaurant; là, une *guesthouse*. Électricité de dix-huit heures à vingt et une heures trente. Eau froide au robinet, pas d'eau chaude. Montréal et le confort, la richesse, sont loin, très loin, et pourtant! Phonsavanh, cette grande blessée, se remet tout doucement, imperceptiblement. Les bombes ont tout rasé, mais la végétation repousse. Les jardins sont jeunes, les plantes aussi. Dans l'avion, j'avais remarqué — sans en faire de cas — cette femme qui rapportait dans son cabas une bouture fleurie. Symbole de renouveau. Témoignage de foi en l'avenir. Dix ans encore et la vie, les fleurs, les enfants, si nombreux que je m'en étonne encore, auront triomphé de la guerre.

La nuit tombante nous piquait de sa fraîcheur à travers les murs de bambou de notre chambre. J'allais renoncer à me laver quand, sur quatre petits coups frappés à la porte, apparurent d'énormes thermos d'eau chaude. Le bonheur! Au fond, c'est très simple, le bonheur! Une bassine dans laquelle on grimpe, de l'eau chaude qui vous coule délicieusement sur le dos, une éponge que l'on presse de sa main et qu'une autre main attrape, l'homme silencieux mais complice qui grimpe à son tour dans la cuvette devenue trop étroite, l'amour dans les sacs de couchage étalés sur les draps trop minces, la bougie que l'on souffle et le silence soudain dans la nuit noire.

૭૪

Phonsavanh au lever du jour.
Émotions contradictoires en ce matin frisquet.

Rien ne saurait troubler ma quiétude, je me l'étais juré un jour. J'avais travaillé d'arrache-pied — le mot n'est pas de trop pour qui s'est blessé de la hanche au talon — pour parvenir à ce résultat! Pourtant, comme une citadelle assiégée, ma quiétude fléchissait en ce petit matin et Mark avait perdu la sienne!

Pour filer au plus vite à la plaine des Jarres, nous avions confié nos billets et le soin de confirmer notre vol pour Luang Prabang au propriétaire de la *guesthouse*. Erreur! L'homme était revenu bredouille. Notre nom n'était pas sur la liste des passagers. Nous ne pourrions partir que trois jours plus tard.

« *Don't worry* », avait-il dit.
Ne pas s'inquiéter?
Facile à dire, pas facile à faire!

Rester à Phonsavanh une nuit de plus n'aurait pas été une si grande infortune, mais trois, non! Tous ces baraquements de bois, ces chenilles de tanks, ces souvenirs de guerre étalés à ma vue comme autant de trophées me donnaient des frissons. Je n'avais plus envie de m'attarder en ces lieux. Je n'avais d'autre désir que de fuir au plus vite. Après tout, Phonsavanh n'avait été qu'un détour sur la route de Luang Prabang. J'avais hâte de découvrir cet exotique paradis du bout du monde où je croyais trouver le bonheur avec Mark. Hâte d'aller vers des paysages plus cléments.

Attendre trois jours ! Non ! Impossible !
« *Don't worry* », avait encore dit notre homme.

Il suffirait d'aller de bonne heure à Lao Aviation et de faire ajouter notre nom à la liste. Le tour serait joué. Simple, non ? Simple, en effet ! Ne pas se faire de souci, faire confiance à la vie, dormir d'un sommeil paisible, du moins jusqu'aux aurores. Au premier chant du coq, aux premiers jappements des chiens, boucler ses bagages et attendre, calmes mais résolus, sur le pas de la porte, sacs à dos à nos pieds, qu'arrivent guide et chauffeur.

Le temps passe. Personne n'arrive. Nous bouillons d'impatience. *Don't worry.*

Sérénité soudaine
émanant de ces moines
en robes safran
défilant au soleil levant.
De ces hommes qui pourtant
ont connu le pire.

Le gouvernement, communiste, a paraît-il voulu empêcher la population de nourrir les moines. Mal lui en prit. Obliger les saints hommes à cultiver la terre de leurs saintes mains pour qu'ils puissent manger était certes un scandale, une honte, aux yeux de tout bouddhiste, mais c'était surtout enlever à ce même bouddhiste l'occasion « d'acquérir des mérites », de se ménager une vie meilleure dans une nouvelle incarnation. Face à une population prête à se rebeller, le gouvernement rendit leur noblesse aux moines. Leurs robes safran défilent à nouveau dans les rues au lever du jour. Leur bol à la main, ils mendient. Enfin, mendier, un bien grand mot! Yeux baissés, tête inclinée, des hommes, des femmes les attendent et, humblement, respectueusement, leur servent une ou deux louches de riz, leur pitance quotidienne.

Don't worry.

Dur de cultiver la sérénité dans un corps tendu. Respirer à pleins poumons, profondément, lentement. Relâcher coûte que coûte, un à un, tous les muscles du corps. Faire tomber la tension dans l'air. Mark est en colère, il voit rouge! L'unique employé de Lao Aviation est analphabète. Peut-être pas dans sa langue, mais dans la nôtre, oui. Impossible de se faire comprendre! D'ailleurs, le bureau de Lao Aviation lui-même est pour tout dire analphabète. Qui croirait autre chose, avec la meilleure des bonnes volontés, en voyant cette petite pièce coincée dans une salle communautaire, au milieu de tables de ping pong : du bois, rien que du bois, baraque de bois, table de bois, chaise de bois, tête de bois! Qui trouverait notre nom sur une liste écrite à la main, en laotien, quand à Vientiane nous avons, de nos propres yeux, vu l'employé de l'agence de voyage envoyer une télécopie pour réserver notre vol? Où est ce document? Il n'y a dans cette cabane ni téléphone, ni machine à écrire, ni télécopieur, ni ordinateur. Pas même l'électricité, en cette heure matinale. Seulement une main malhabile qui fait courir au crayon, en laotien, nos noms barbares sur une liste illisible.

Don't worry.
Ne pas s'énerver.
Ne pas s'inquiéter.

En quelques minutes, nous sommes à l'aéroport. Guide et chauffeur nous abandonnent pour attraper, à sa descente d'avion, la nouvelle manne céleste. Les touristes débarquent, l'air aussi hébété que nous la veille. Les gens en partance s'agglutinent à un comptoir derrière lequel se cache un préposé qui colle sur leurs billets un petit papier rose. Hélas, il pousse les nôtres sur le côté, esquive soigneusement notre regard et prend d'autres billets. Un jeune homme venu à la rescousse nous encourage de son sourire.

Don't worry.

Je ris aujourd'hui, rien que d'y penser. Arriver les premiers à l'aéroport, croire que le premier avion est pour Luang Prabang, se glisser sous le nez de tous et de chacun pour avoir la priorité et s'apercevoir que, finalement, cet avion n'est pas le bon, quelle plaisanterie, quelle farce! Il venait de Vientiane et y retournait. Quant au nôtre, il nous faudrait l'attendre.

Attendre.
Combien de temps?

Nul ne le savait et tous s'en moquaient. Les opinions divergeaient. Une heure, deux heures, trois… Quelle importance! En bons Asiatiques, les Laotiens jouent aux cartes dans une cabane, qui n'est rien de moins que le restaurant de l'aéroport. Les Occidentaux s'impatientent, font le pied de grue.

Attendre, passe encore, mais ne pas perdre l'espoir de coucher à Luang Prabang, faire confiance à la vie, voilà qui est plus difficile.

Attendre. Assis sur une planche, nous méditons, yeux tournés vers la montagne, pour retrouver notre calme. Deux jeunes filles nous en délogent : nous sommes assis sur le puits ! Nos deux Marie-Madeleine sont venues à la fontaine pour y puiser de l'eau dans leurs petits seaux. *Don't worry*, nous n'en avons pas pour longtemps, juste le temps de puiser l'eau pour la soupe de midi, celle que vous mangerez tout à l'heure. Sourires, petit salut de la tête. Nous mangerons la soupe de bon cœur, *don't worry*, tout va bien. Le seul homme qui pouvait régler notre problème, le directeur de l'aéroport, est arrivé comme par enchantement. Comme par enchantement, il a collé un petit papier rose sur nos billets. Ce précieux talisman nous donne le droit de partir. Nous dormirons ce soir à Luang Prabang. Peu importe à quelle heure.

Don't worry.

À treize heures, nous guettons toujours un impossible trait blanc dans le ciel. La soupe aux légumes est bonne. J'ai faim, je me sens bien. Mark, par contre, a le visage crispé par la contrariété. Il ne veut rien manger. Il trouve que le riz a un goût de viande, lui qui est végétarien, que tout sent la misère, la saleté, la tragédie. Tout près de nous, la partie de cartes bat son plein et les rires fusent.

À quatorze heures, l'aéroport somnole sous le soleil et nous sur la margelle. Dommage pour cette ancienne capitale bombardée, dont je ne me rappelle pas le nom et dont il ne reste que temples en ruine. Mark dit que nous aurions pu y faire un pèlerinage au lieu de perdre notre temps sur la margelle d'un puits. Je lui dis qu'il a raison, mais qu'au fond, je n'ai pas de regret : j'en ai assez de la guerre ! Mark dit encore que c'est bête de perdre une journée dans un aéroport de brousse quand il y a mieux à faire, que nos jours de vacances sont comptés.

À quinze heures, la rumeur dit que l'avion a des ennuis mécaniques et ne viendra pas.

À seize heures, l'appareil se pose en bout de piste. Tout petit. Mark court devant pour arriver le premier à la passerelle, être le premier à tendre nos billets. Je le suis aussi vite que je le peux. Qui sait, à part nous, que sur les dix-neuf passagers que nous sommes, deux ne partiront pas, l'avion n'ayant que dix-sept places ?

Don't worry.

J'aurais pourtant dû le savoir, moi qui ai tout perdu sauf la vie. Après la nuit fatidique, tout était à réinventer de ma vie. Trois mois d'hôpital, six mois de rééducation. D'abord le fauteuil roulant, puis les béquilles, puis la canne, puis plus rien. Réapprendre à marcher. Marcher sur un mètre, puis deux, puis cent, enfin quelques milliers de mètres. Marcher sur un sol plat, sur un sol inégal, sur une petite pente, pente douce, pente abrupte, le tout enrobé de souffrance. « J'ai un pied qui remue et l'autre qui ne va guère », dit la chanson. Et le cœur que l'on porte en bandoulière, comme un bras blessé, y a-t-il une chanson pour en parler ?

Don't worry.

Se laisser aimer de tout cet amour qui vous porte. L'amour donné avec une fleur, un poème, un livre, une chanson, une friandise. L'amour dans le sourire qui s'offre, la main qui se tend, la simple présence silencieuse. L'amour d'une jeune femme au nom de Seng Soukh, tendre, dévouée, qui passa de l'hôpital à chez moi, pour me soigner et m'encourager dans mes premiers pas de femme libre. L'amour de l'Autre, gratuit s'il vous est inconnu, naturel s'il vous est proche, toujours touchant, toujours troublant. L'amour de tous, mais pas l'amour de David.

Qui dira l'affreuse liberté d'une vie sans l'homme aimé ? Qui dira le regret de l'enfant perdu ? Le regret et la culpabilité ! Si j'avais arrêté de danser à temps, quand l'arthrite s'était mise à me ronger les pieds, l'accident ne serait pas arrivé et l'enfant serait venu au monde. Comment aurait-il été, cet enfant, s'il avait vécu ?

Et cette liberté au goût de poison, qu'en faire ? Par quel bout l'attaquer quand s'ouvrent les portes sur elle ?

Par le nid d'amour vide où vous assaillent pêle-mêle les souvenirs. Par ce vide qui se mesure jour après jour, nuit après nuit, au silence des murs indifférents, à l'espace du lit trop grand, à l'odeur de l'aimé qui se meurt doucement dans ses chandails. Cette odeur que je humais avant, sans en savoir la fragilité, la fugacité, me laissait désormais au fond de la gorge une boule de nostalgie.

Don't worry.

Par les souvenirs que l'on élimine. Sans larmes, sans joie. D'abord ses vêtements, ensuite nos tuniques, nos maillots, nos chaussons, tous ces vibrants témoignages de l'univers de la danse auquel je disais adieu. Puis, plus lentement, en les savourant un à un une dernière fois, nos photos, les articles de journaux, les critiques de nos spectacles. Enfin les meubles, l'appartement, le quartier, la ville.

Faire le vide, c'est toutefois plus que se débarrasser de pauvres souvenirs matériels. C'est s'éloigner de ceux qui vous rappellent un passé révolu, désormais inaccessible ; maîtriser ses larmes et ses émotions douloureuses ; éteindre la flambée d'amour qui ne veut pas mourir ; effacer les souvenirs inscrits dans la mémoire, le geste, le corps, chaque cellule du corps qui refuse obstinément d'oublier. J'aurais voulu repartir à zéro, à neuf, mais on ne repart jamais ni à neuf ni à zéro. Alors, je partirais. Loin, le plus loin possible.

Ce n'était pas un voyage, c'était une rupture.
Dure comme une brisure, une fracture.

Finie la vie d'artiste, la vie en couple, la vie en troupe. Finis les hôtels chics, les taxis, les autobus qui attendent à l'aéroport, les bagages lourds et encombrants que d'autres portent. Fini. Fini le rêve de gloire, d'amour, d'enfant. Fini.

Ce n'était pas un voyage, c'était une rupture.
Dure comme une brisure, une fracture.
Pire.
C'était une fuite.

Fuite de l'oiseau blessé qui ne peut plus voler.

Fuite de l'amante abandonnée au rivage d'une vie nouvelle.

Fuite de l'esseulée qui apprivoise la liberté qu'elle refuse pourtant.

Fuite en avant devant le souvenir trop puissant, trop violent, qui vous poursuit en hurlant.

Fuite en avant vers un au-delà différent, vers l'aventure, l'inconnu.

☙

Luang Prabang. J'aime encore aujourd'hui la sonorité de ces trois syllabes.

Luang Prabang. Ancienne et prestigieuse capitale du royaume du même nom, qui connut son apogée au quatorzième siècle. De ses cent pagodes, il n'en reste plus que soixante, les mauvaises langues disent quarante. Avec leurs triples toits pentus qui effleurent le sol, elles ont cet air un peu fatigué des belles que le temps a oubliées. Reste aussi un palais devenu musée. Pauvre palais sans gloire ni beauté construit pour un roi, oserais-je dire d'opérette, mis en place par la France pour gouverner le pays des Laos, et qui disparut, lui et sa famille, Dieu seul sait où et comment lorsque prit fin la guerre du Vietnam et que le Laos se déclara République populaire démocratique.

Luang Prabang. Le jour tire à sa fin quand l'avion se pose dans une cuvette sertie de collines. Comme Luang Prabang, la belle négligée que je suis a besoin de se refaire une beauté. Entassés avec un autre couple et tous nos bagages sur la plate-forme d'une moto-taxi, il nous faut, avant que je puisse succomber à ce plaisir, faire trois fois le tour de la ville dans la poussière sablonneuse des chemins pour trouver la perle rare : un hôtel à notre goût.

Trop cher.
Trop laid.
Pas cher, mais trop sale.
Plein, revenez demain.

Don't worry!

Heureusement, la ville est petite et les Laotiens toujours aimables. De guerre lasse, nous jetons notre dévolu sur un hôtel un peu cher, un peu chic, vestige colonial au crépi blanc et aux volets de bois peints en vert. Notre chambre, confortable et avec salle de bains, douche et eau chaude, s'ouvre sur la rivière Khane et les collines.

Le bonheur! Une fois de plus, comme si je ne le savais pas, il ne tient à presque rien. À l'eau chaude sur mes cheveux, sur mon corps, aux draps frais de mon lit, aux jardins potagers qui ourlent la rivière, aux collines où pavoise la jungle verdoyante, au thé qui fume dans les tasses de porcelaine, au Mékong qui m'attend après l'amour.

Ombre au bonheur. Mark refuse de sortir. Rien ne le tente sinon se reposer. Après avoir attendu un avion toute la journée, faut-il encore attendre la nuit dans une chambre? Oui. L'attente autant que l'incertitude l'ont épuisé. Il veut être seul et je n'insiste pas.

En voyage, il faut savoir attendre. Et s'attendre à tout! Surtout à l'imprévisible! Ne se surprendre de rien, de soi comme des autres; être prêt à partir à la découverte de paysages inconnus, ceux du dehors, ceux du dedans! J'avais décidé de ce voyage au Laos pour que nous apprenions à nous connaître l'un et l'autre, au-delà de ce que nous connaissions déjà, apprivoiser nos différences, savoir si nous pourrions respecter celles-ci. En un mot, ce voyage devait nous dire si nous pourrions vivre ensemble le reste de nos jours.

Peut-être nous aurait-il fallu terminer notre voyage par Luang Prabang, mais la vie est ainsi faite que nous faisons souvent les choses à l'envers! Que serait-il arrivé si notre aventure s'était terminée en ce lieu béni? Tout me porte à croire que rien n'aurait été différent.

Luang Prabang. Sur la rive ouest du Mékong, rien, absolument rien, sinon une pagode invisible dans la jungle; sur la rive est, une rue qui longe le fleuve et s'arrête au confluent de la Khane. Entre fleuve et rivière, une bourgade aux maisons sagement alignées au touche à touche de chaque côté d'une rue qui la partage en son centre. Hautes d'un étage, avec fenêtres et volets, ces maisons sont comme un rappel de la France. Un peu à l'écart, entourée d'un jardin, trône une vieille belle. Construite dans le style portugais de Macao par un Laotien de retour au pays il y a deux ou trois siècles, elle a retrouvé vie et jeunesse. Tombés amoureux d'elle, des Canadiens l'ont achetée, rénovée et transformée en auberge. Superbe! À l'image de ce joyau qu'est la ville elle-même. Hélas, depuis que cette dernière figure sur la liste des sites du patrimoine mondial, on parle de construire un nouvel aéroport et des hôtels très chics sur la rive déserte du fleuve. Alors arriveront à Luang Prabang des hordes de touristes. Sous la houlette, l'ombrelle ou le parapluie de leur guide perclus de culture et de connaissances, le secret bien gardé jusqu'ici de la beauté de ce paradis se répandra aux quatre vents et son charme tranquille sera à jamais perdu.

Pour nous, pauvres routards, point de houlette, d'ombrelle ou de parapluie! Il nous fallait apprivoiser, seuls, les aléas et les contrariétés du voyage, de même que les hauts et les bas de nos egos fragiles. En fait, il nous aurait fallu la sérénité du Bouddha lui-même pour résister aux spasmes de mauvaise humeur que nous causait Lao Aviation. La compagnie aérienne n'en faisait qu'à sa tête, s'acharnait sur nous ! À mon retour à l'hôtel, Mark fulminait. Impossible de faire confirmer nos places sur le vol prévu pour Vientiane ! Pendant toute mon absence, loin de se reposer, il avait transigé avec l'employé de l'hôtel qui était allé, pour nous, faire les démarches auprès de la compagnie. Furieux. Il était furieux contre lui ! Pourtant, c'était un rayon de soleil, ce jeune homme. Tout sourire, toute courtoisie, il promettait de se décarcasser encore pour nous ! Curieusement, il me rappelait Seng Soukh, son inépuisable gentillesse, son inaltérable bonne humeur. Pourquoi ne pas lui faire confiance et le croire quand, sérieux comme un bouddha, il nous répétait inlassablement : « *Don't worry* » ?

L'art de se rendre malheureux, épisode numéro un : une soirée gâchée. Malgré le plus merveilleux des restaurants végétariens, l'ombre de la nuit tiède s'allongeant doucement sur la terrasse, la lenteur bucolique du service, la saveur de mets incomparables et inconnus que la maîtresse de maison préparait un à un sur son petit réchaud, en fait, peut-être faudrait-il dire à cause de tout cela, Mark n'avait rien mangé, n'avait pas décoléré. J'oserais presque dire qu'il avait même boudé. J'avais proposé une balade le long du fleuve, une séance de méditation près de la rivière, du yoga dans notre chambre, rien n'y avait fait. Retour à l'hôtel dans le plus profond des silences. Ce silence qui d'habitude me comble me parut soudain lourd, électrique. Silence autour des rites du coucher, chacun dans la solitude de son lit.

Dur, dur, le voyage en duo! Je n'aurais pu en vouloir à Mark de ne pas en connaître les règles. Comment en aurait-il été autrement puisque tout cela était nouveau pour lui? C'est sur le tas que l'on apprend les lois du voyage, c'est sur le tas que j'ai appris : ne pas se comporter en écorché vif, en agressé, comme si tout le monde n'avait d'autre intention que de vous arnaquer; ne pas s'énerver ni manifester son mécontentement à tout bout de champ parce que les choses ne se font pas à votre manière, à l'occidentale. Faire confiance. Oui, c'est cela, faire confiance à la vie, même si personne n'a votre langue, vos mœurs, vos manières. Mais cela, je n'aurais pu le dire à Mark ce soir-là.

ɞ

Premier matin à Luang Prabang.
Douce obscurité de la chambre.

Le jour se levait au-delà des collines, de l'autre côté de la rivière. À travers les lamelles des volets clos, j'observai des hommes qui s'affairaient sur la berge. Ployant sous le poids de leurs arrosoirs, ils remontaient avec peine la pente abrupte, arrosaient un à un choux, poireaux et salades, puis retournaient en courant à la rivière. Inlassablement. Le même manège se répétait ici et là. À mes pieds, la rue s'animait. Des moinillons se rendaient par petits groupes à la pagode toute proche. Au son d'un gong monta bientôt dans le ciel la psalmodie d'un mantra dont je ne compris rien sinon que, tout à coup, mon cœur se fit léger. Mark se réveilla. Aucune trace de mauvaise humeur. Il était prêt pour l'amour.

Plus tard, à l'heure du petit déjeuner, les potagers de la rivière seraient désertés.

Programme du jour : balade sur le Mékong. Au nord de Luang Prabang. En direction de la Thaïlande. Là, plus rien, sinon quelques villages sur le fleuve et, surtout, des grottes haut perchées dans une falaise, un lieu de pèlerinage autrefois populaire. On y accède par des marches taillées dans le roc qui n'en finissent pas d'escalader la muraille. Mark file devant, tout excité par la montée, par l'effort. Je peine. Les marches sont trop hautes.

Toute cette grimpette n'a d'autre but que de voir des bouddhas, d'innombrables bouddhas, des petits, des moyens, des grands, tous identiques, tous typiques du Laos : minces, debout, les bras très longs, collés de chaque côté du corps, ils appellent la pluie. Les Laotiens, facétieux, disent qu'avec son nez aquilin, effilé comme un bec d'aigle, sa robe droite et ses cheveux frisés très courts, leur bouddha a la taille svelte des bombes américaines qui déferlèrent sur le pays et qu'il en était, à son insu, le précurseur !

Venir en Asie, c'est découvrir Bouddha. Et gare à qui s'en lasse ! Le Bouddha est aux pagodes, aux *vat*, en un mot aux sanctuaires de l'Orient, ce que le Christ est à ceux de l'Occident.

C'est à Borobudur que j'ai découvert bouddhisme et Bouddha.

En Indonésie, pays musulman ! Le comble !

Avec un guide musulman tout fier de son patrimoine culturel.

Borobudur, une merveille, du moins pour moi ! Il faut imaginer une pyramide et, sur ses murs, faisant face aux quatre points cardinaux, quatre cent trente-deux bouddhas, tous dans une position symbolique du Bouddha. Vers l'est, ils prennent la terre à témoin, main droite tournée vers le sol. Vers le sud, ils demandent l'aumône, paume de la main droite tournée vers le ciel. Vers l'ouest, ils méditent, les mains posées sur leurs genoux. Vers le nord enfin, ils tendent la main droite vers le ciel, indiquant l'absence de peur. En fait, tout, dans la pyramide de pierre, symbolise Bouddha. Les galeries inférieures, carrées, sont sa robe, pliée en quatre; la galerie supérieure, circulaire, son bol à riz renversé; et la flèche du stupa central, son bâton de pèlerin.

Quel destin étrange que celui de cette pyramide! Construite deux cents ans avant Notre-Dame de Paris, abandonnée cent ans plus tard, sous la menace des cendres que crachait le volcan voisin, elle disparut aux yeux du monde, engloutie par la jungle. Redécouverte par hasard au dix-neuvième siècle, aujourd'hui restaurée et rendue à sa gloire d'antan, elle attire désormais la ferveur des touristes comme celle des pèlerins. Elle me fut un choc, m'entra dans le corps comme jamais rien auparavant car, sculptée dans sa pierre, tout au long de ses galeries, j'y lus l'histoire de ma vie.

Première galerie : la vie dans toute la force, la vigueur que peuvent lui donner la passion, l'amour, le goût de l'amour, du vin, de la bonne chère. Une volée de marches vers le ciel et la deuxième galerie : la naissance merveilleuse et la vie d'un jeune prince heureux, riche, amoureux, aimé, protégé des malheurs du monde par un père soucieux de le voir monter sur le trône qu'il lui laisserait à sa mort. C'était sans compter sur un événement imprévu. Au cours d'une promenade, le jeune Gautama découvre que les mortels que nous sommes connaissent inévitablement un jour la vieillesse, la maladie et la mort. Effondré, il quitte le palais paternel, sa jeune épouse et son enfant et, renonçant à son royaume terrestre, mène désormais, comme le plus pauvre des pauvres, une vie de méditation et de jeûne! Une autre volée de marches vers la troisième galerie : la pierre se dépouille, devient lisse. C'est la vie, sans la souffrance née du désir. Quelques marches encore pour atteindre une plate-forme circulaire, symbole de perfection. Au centre, dominant d'innombrables cloches de pierre ajourées qui abritent des bouddhas, culmine un stupa, énorme cloche vide. Symbole de l'esprit du Bouddha et de tout être éclairé qui a atteint la bouddhéité, et que ne troublent plus ni les vicissitudes de ce monde ni les émotions perturbatrices que sont la colère, la haine, la peur, les illusions.

Le vide. La vacuité.
Loin du bruit et de l'agitation.
Au-dessus des miasmes du quotidien.

À mesure que je grimpais, mon corps autrefois si souple peinait, mais en même temps, chaque marche au sol inégal lui insufflait comme un message de vie, un message de joie. Un incompréhensible sentiment de légèreté que je n'avais jamais connu auparavant, même un soir de triomphe, même un soir de fête, m'envahit. Comme une bouffée d'air frais. Vivante, j'étais vivante ! Le simple fait d'exister, de sentir l'air dans mes poumons, le soleil sur ma peau, le sol sous mes pieds, tout cela me donnait un incroyable sentiment d'allégresse. J'avais tout reçu de la vie : le bonheur, la gloire, l'amour, l'argent. Borobudur me donnait l'allégresse.

Comme tant d'autres pèlerins, j'ai touché la statue d'un bouddha assis sous un lacis de pierre pour m'en attirer la bénédiction, petit acte superstitieux courant en Asie. Je m'assis pour rendre grâce, paumes tournées vers le ciel, et me laisser pénétrer de la chaleur du soleil. Son énergie me donnerait la force de vivre autrement, sans nostalgie du passé, sans crainte de l'avenir. Une chose était sûre : la femme qui avait gravi les degrés de Borobudur n'était pas celle qui allait en redescendre. Elle porterait un nom nouveau, qui convenait à son nouvel état d'esprit : elle se nommerait Allegra.

Stridence d'un hors-bord sur le Mékong. Chargé de voyageurs casqués et pressés, il cingle vers le Triangle d'Or, en Thaïlande. J'ai sursauté, troublée dans mes réflexions par cette brutale incursion du monde extérieur dans ce qui fut naguère un calme lieu de culte.

Pique-nique de baguette et de Vache qui rit, autres vestiges de la France coloniale ! Qu'il aurait été bon de flâner à l'ombre des arbres, de prendre le temps de se reposer, de vivre ! Mais notre jeune guide nous invite à prendre le chemin du retour : un village au bord du fleuve attendait notre visite.

À nouveau le fleuve, la jungle, le ciel bleu sur lequel se détachent les montagnes. Au-delà des montagnes, au loin, vers l'est, Phonsavanh et la guerre du Vietnam, qui n'est jamais arrivée à Luang Prabang. Derrière moi, les yeux clos, Mark, qui somnole ou qui médite. Derrière lui, le jeune guide qui dodeline de la tête. À l'arrière enfin, notre pilote.

Le village, sans être un attrape-touristes — si peu nombreux par ici —, ne compte que quelques maisons de bambou sur pilotis disposées autour d'une place centrale. Tout est propre, infiniment propre. Au milieu de la place publique, des enfants, qui n'ont pas un regard pour nous, jouent à croupetons, dans la position si spéciale des Asiatiques. Ils jouent sans jouets, sans rien, mais ils jouent. En silence. Tranquillement. Ici des hommes vendent de l'alcool de riz ; ailleurs, des femmes proposent les sarongs tissés de leurs mains. Le village est sans nul doute prospère et paisible.

À nouveau le fleuve, la jungle et le ciel bleu. La pirogue nous laisse au bas de l'escalier royal que gravissaient les rois, du temps du royaume de Luang Prabang, pour accéder au plus vieux monastère, le plus beau aussi, le Vat Xiengthong, miraculeusement épargné par les innombrables batailles que se sont livrées ici autrefois Khmers, Siamois, Birmans et Laos.

Paix.
Sérénité.

Le soleil jette sur le pignon de la pagode des feux qui embrasent la mosaïque de l'Arbre de vie. L'Arbre de vie ! Seng Soukh m'en avait offert un. Un socle de granit rose, quelques rameaux d'or aux lourds fruits de granit. « Je ne sais pas très bien ce que c'est, avait-elle dit, mais je sais que c'est important. » Moi non plus, alors, je ne savais pas ; maintenant je sais. C'est sous l'Arbre de vie, à Bodh Gayâ, dans le nord de l'Inde, que Bouddha atteignit l'éveil.

Un Occidental donne une dernière touche à son aquarelle ; un bonze médite à l'ombre d'un stupa. J'attendrai à leurs côtés que s'éteigne le feu de l'Arbre de vie dans les derniers rayons du jour qui se meurt. Je rentrerai une fois la nuit tombée.

Respecter l'Autre dans son intégrité, dans son intimité. Respecter sa propre intégrité, sa propre intimité.

Se laisser assez d'espace pour respirer chacun à son rythme. Règle d'or d'une vie à deux, mais peut-être encore plus, d'un voyage à deux. Mark est parti seul; il est fatigué, pressé de prendre une douche, de se changer, de se reposer, de méditer. Moi, je préfère la paix de ce monastère. J'ai envie de contempler à loisir sa pagode, ses templions, ses clochetons, ses chapelles, entre lesquels se promènent des moines dans la lumière dorée du soir.

Je ne m'en suis pas rendu compte tout de suite; c'est venu malgré moi, à mon insu. Peut-être qu'avant l'accident, je dormais trop le jour, je dansais trop la nuit. En revenant à la vie, j'ai découvert la lumière, celle de la nature, la tulipe devenue diaphane et la fougère transparente sous son faisceau magique, le diamant qui scintille sur le brin d'herbe mouillé de rosée, l'arc-en-ciel sur le biseau d'un miroir. Je n'avais su que danser. Maintenant je savais regarder. Observer aussi.

Le *vat* est vide, silencieux. C'est cela qui me frappe, soudain.

L'Asie étonne et séduit par sa piété, jamais aussi visible et manifeste que dans ses *vat*. Ces lieux sacrés ne ressemblent en rien aux nôtres. Loin d'être un bâtiment dans lequel se retrouvent à heure fixe des fidèles, ou des moines, pour y célébrer une messe, une cérémonie, le *vat* est un espace ouvert, une esplanade, clos par une enceinte. Ce jardin intérieur, toujours fleuri d'arbustes, abrite une pagode, lieu de prière, des stupas, des templions, des bibliothèques, des cloîtres, des salles de classe et de méditation, des habitations pour les moines, d'autres pour les pèlerins, les étudiants, un endroit réservé à la cuisine, à l'extérieur. Toute la journée, c'est un défilé perpétuel de gens qui se prosternent devant la statue du Bouddha, tournent en lente circumnambulation autour des stupas, se font lire leur horoscope, lâchent des oiseaux retenus prisonniers dans une cage, autant d'actions portées à leur crédit pour une vie future. Ici, personne. Ce *vat* est un musée et les grottes sur le Mékong, à bien y penser, ne sont qu'un lieu de promenade. Pas de pèlerinage.

Instant de nostalgie…

Même si les actes de piété superstitieuse m'agacent, quelle que soit la religion dont ils s'inspirent, ils me manquaient tout à coup. J'y vis le signe d'un manque de liberté, la peur d'une population qui a trop souffert et craint des représailles. Un jour cependant — rien ne dure éternellement, tout est impermanence, assure la doctrine bouddhique —, un jour, donc, la foule reviendra méditer sous l'Arbre de vie, se prosterner devant ce touchant et magnifique bouddha couché, tout de bois sculpté, que l'on devine à peine au fond de la petite chapelle où ne brûle aucune bougie, aucun encens.

❧

Deuxième journée à Luang Prabang.

L'heure était encore matinale quand je quittai discrètement la chambre. Sur le parapet qui dominait la rivière, un jeune homme s'est installé près de moi. Communion en silence, partage d'un instant magique, à la fugitive beauté. Les potagers prennent vie dans la lumière rasante du soleil qui se lève. Les arrosoirs volent à la rivière, s'emplissent, se vident, retournent à la rivière. Des enfants s'ébrouent à grands cris dans l'eau. Des moinillons s'agglutinent sous les arbres du *vat* en attendant que commencent les classes. Bruit de gong. Mantra. Calme soudain sur la berge et dans le *vat*. Sourires de connivence avec Michael. La conversation s'anime, intime presque, comme tantôt le silence. Il est du Vermont, passe une semaine à Luang Prabang, avec une jeune femme. Voyage de rétablissement pour ainsi dire. Tous les deux se remettent d'une liaison qui a mal tourné. Je comprends. Moi aussi j'ai repris goût à la vie avec un homme! Chapeau de Mark à bâbord. Silence et regard de Michael : c'est lui, l'homme-thérapie? Sourire en coin : je fais signe que non de la tête! Michael enfourche sa bicyclette. Rendez-vous au coucher du soleil, sur le mont Phousi, au centre de la ville.

Non, Mark n'est pas l'homme-thérapie. Mark est l'homme du présent, l'homme d'un petit déjeuner sur la terrasse de l'hôtel, face à une rivière, quelque part au nord du Laos. Non, l'homme-thérapie s'appelait Hans.

Hans : l'homme du passé, d'un autre voyage, d'un autre paysage.

Après l'accident, j'avais quitté Montréal pour mieux me retrouver, seule, en tête-à-tête avec moi-même. Erreur de croire qu'on voyage seul ! Le monde grouille de voyageurs qui ne demandent qu'à faire un bout de chemin avec vous. J'en ai croisé, effleuré, frôlé des destins qui comme le mien cherchaient leur vérité, en chaussures de marche et avec sac à dos ; mais en redescendant de Borobudur, j'étais prête à faire plus que les croiser, les effleurer, les frôler.

Ce soir-là, Hans m'avait éclaboussée, comme ça, sans crier gare, dans la piscine de l'hôtel. Julie aurait pu faire comme si de rien n'était, passer en silence, nager un peu plus loin, mais Allegra avait ri. Julie-Allegra l'avait arrosé à son tour. Se laissant apprivoiser, elle l'avait rejoint pour le *happy hour* à la piscine. Des gens de partout. Deux jeunes Suisses en voyage de noces, un Hollandais d'un âge certain, notre doyen à tous, qui avait travaillé autrefois à Jogjakarta, à l'heure où l'Indonésie s'appelait les Indes néerlandaises ; d'autres encore dont le visage s'est effacé de ma mémoire. D'emblée, Hans m'avait plu. Il me rappelait le Christ, enfin comme je m'imagine le Christ : mince, plutôt grand, barbe blonde, longues boucles blondes retenues en queue-de-cheval, yeux bleus, sourire très doux, le sourire énigmatique et doux du Bouddha. Le Christ et le Bouddha à la fois. Un peu facétieux tout de même ! S'il m'avait éclaboussée, c'était exprès. Il avait aimé mon regard un peu triste où dansait une étincelle. Très vite, très tôt, ses mains s'étaient posées sur les balafres de mon corps. Avec tant de délicatesse, tant de tendresse, tant de respect. Et la mémoire du désir, le goût du plaisir m'étaient revenus. Nous avions fait route ensemble vers la Thaïlande, le Népal, l'Inde, la Grèce et puis nous nous étions quittés.

Nostalgie soudaine.

À la terrasse de l'hôtel, en ce dimanche matin, comme tous les dimanches, un vieux monsieur français prend le petit déjeuner avec ses amis laotiens. Venu au Laos très jeune, dans les années quarante, il en était reparti une fois son service militaire terminé. Il avait fait sa vie, toute sa vie, en France. Marié, pas marié, rien n'en avait transparu dans notre conversation. À l'âge de la retraite, il réalise son rêve de toujours : s'installer à Luang Prabang. Aucun regret. Il perdait ses dents, il souffrait du paludisme, mais il était heureux, il aimait sa vie. Sa seule inquiétude : le sort réservé à son paradis, une fois qu'il sera devenu un haut lieu de tourisme. La France ? Aucune nostalgie ! Pas de nostalgie ? Pourquoi en ce cas partager avec ses amis ce café, ces croissants, cette baguette, cette confiture, ce pot de beurre, le tout baigné d'un français impeccable, langue surannée dont plus aucun écho ne se fait entendre ailleurs, dans les rues de la ville ?

Nostalgie encore.

Coucher du soleil
sur le mont Phousi.
Nostalgie.
Qui rime avec Phousi.

Mark avait grimpé à toute allure. J'avais peiné pour atteindre le faîte. Quand, enfin, j'étais arrivée sur la terrasse, je l'avais aperçu, de l'autre côté des garde-fous, au bord du rocher à pic, assis en lotus, baignant dans la lumière du soir. Aurais-je eu envie de gémir sur mon sort ou de maudire ma jambe que je n'en n'aurais pas eu le temps ; la main de Michael s'était posée sur mon épaule. Son amie était allée au sauna. Le coucher du soleil, elle connaissait. Nous avions regardé ensemble descendre le soleil à l'horizon, puis très vite, j'avais commencé à descendre moi aussi. Avant que l'obscurité ne me rende le chemin impossible. Michael m'avait emboîté le pas sans rien dire, puis, tout d'un coup, l'air de rien, il avait dit qu'il aimerait me revoir à Montréal ou au Vermont. Dans un même souffle, il avait ajouté que mon compagnon de voyage ne semblait pas fait pour moi. Était-ce pour lui donner raison ? J'avais accepté la main qu'il me tendait pour franchir les marches, contourner les rochers. En bas, il avait repris sa bicyclette et, sans prévenir, d'un geste bref et tendre à la fois, il avait effleuré mes lèvres et s'était évanoui dans la nuit.

❧

Luang Prabang.
Aube du troisième jour,
jour du départ.
À peine réveillé,
l'aéroport se remplissait
tout doucement.

Qui de Mark ou de Lao Aviation avait décidé de ce départ précipité? Mark avait compté ses sous, ses jours de vacances et le nombre de choses à voir, à faire, impérieusement. Démarche intellectuelle du touriste qui suit les recommandations de son guide touristique, apprend son paysage et son voyage comme autrefois il apprenait l'histoire ou la géographie, laissant au vestiaire de son imaginaire sa fantaisie, son intuition, le plaisir fou de se laisser guider vers l'inconnu. Le reste, les choses que l'on pourrait voir, mais que rien n'oblige à voir puisque ce ne sont pas des chefs-d'œuvre, ce serait pour une autre fois ou pour ceux, les oisifs, les vrais routards, qui en ont le temps. Nous, nous devions filer, rouler, voler. Ne pas perdre de temps, être de retour chez nous à la date prévue. Et puis, Lao Aviation ayant égaré nos réservations, perdues quelque part entre nuages et brumes, nous n'avions pas le choix. C'était une semaine ou trois jours... Deux jours et trois nuits, pour être plus exact. Le sort en était jeté. Nous partions.

Frustration. Intense frustration. Nostalgie aussi.

Tout va trop vite, tout est trop court. Voyager en avion, pour aller plus vite, voir plus de choses, sans prendre le temps de s'abandonner; laisser l'horloge, un guide, une compagnie aérienne dicter nos chemins et nos destins, qu'est-ce que cela veut dire? Voyager avec un homme qui médite à heure fixe, les yeux clos derrière des volets clos, à l'abri du monde et du bruit, ou seul en haut d'une colline, au bord de rochers où ma jambe m'interdit d'aller, qu'est-ce que cela veut dire? Que signifiait dans ma vie cet homme qui, j'en conviens, n'aurait sans doute pas plus regardé le Saint-Laurent que le Mékong?

Encore une fois, la dernière, le jeune homme de l'hôtel se décarcasse pour nous. Quel amour, ce garçon! La veille, il nous avait emmenés aux chutes Kouangsy dans une moto-taxi pétaradante dont le toit métallique m'avait empêchée de me fondre dans la verdure de la jungle. Je n'attendais pas grand-chose du pipi de mouche que nous verrions, étant donné que la saison sèche touchait à sa fin; mais le paysage de rizières, le ruisseau qui courait le long de la route, les petites filles qui s'en revenaient au logis, une jarre d'eau sur l'épaule, tout cela aurait suffi à mon bonheur. C'était sans compter avec la féerie d'une vraie chute d'eau plongeant du haut d'une muraille. L'eau, d'une transparence bleutée, tombait en nuée dans un bassin bordé de poinsettias et d'hibiscus en fleurs, entrelacés de lianes d'une folle exubérance. Je n'avais pas eu le temps de m'extasier que Mark était déjà dans l'eau. Beau, tentant, comme toujours, mais si lointain.

Petit pincement au cœur.
Nostalgie.
Vertige.

À peine sorti de l'eau, Mark avait disparu dans la végétation, pressé d'arriver au sommet de la falaise. Pas une

60

marche, pas une rampe. Pas de sentier, de main courante, de corde. Rien qui puisse m'inciter à grimper le raidillon tracé par d'innombrables pas. J'allais rebrousser chemin quand le jeune homme m'avait pris par la main.

« *Don't worry* », avait-il dit.

J'aurais abandonné dix fois; dix fois sa main se serra sur la mienne. Le pire, je ne le savais que trop bien, ce n'était pas ma jambe, c'était mon mental, ce fameux mental qui me disait qu'il ne suffisait pas de monter, qu'il fallait aussi redescendre! « Casse-cou! » criait l'affreuse bête, entre deux sueurs froides.

« *Don't worry* », insistait le jeune homme.

Faire taire la bête, respirer calmement, ralentir les battements de mon cœur, faire confiance à la main qui me tient, comme autrefois lorsque mon corps et mon esprit s'unissaient pour retrouver l'équilibre, tous les équilibres. Faire taire mes pensées, dire à mon mental que tout est merveilleux, que j'ai de la chance de grimper cette falaise, solidement ancrée dans l'instant présent et à cette jeune main qui assure chacun de mes pas.

En haut, le spectacle était banal. Ce qui plus bas était une chute bleutée sur des rochers blancs n'était ici qu'un maigre ruisseau. Mais le but avait-il plus d'importance que l'effort fourni pour y parvenir, le simple dépassement de soi, de ses craintes? La descente avait été comme la montée, la peur en moins. En bas, je m'étais immergée tout habillée dans le bassin. Qui dira le réconfort de l'eau qui efface les traces de sueur, l'odeur de l'effort, la souffrance de la jambe? La jeune main avait guidé mes pas sur les rochers glissants. L'eau avait sculpté ma robe sur mon corps. Le jeune homme s'était détourné. Respect de la femme, pudeur de l'homme. Je me sentais bien, j'étais heureuse, heureuse d'avoir vaincu ma peur, d'avoir fait confiance à cet inconnu, de sentir, oserais-je dire, l'hommage du mâle. Mark n'avait rien vu, rien su, rien dit, rien compris!

Était-ce la main tendue, le plaisir de l'obstacle surmonté, la fraîcheur de l'eau? Je me sentis renaître. Pouvoir magique de l'eau.

Après Borobudur, dans la piscine de l'hôtel, éclaboussée par Hans, j'avais commencé à renaître, accepté de renaître. Mais il faut d'abord accepter de mourir, de mourir à un passé, à un homme, à un corps parfait et en santé, pour pouvoir renaître. Sans doute avait-il fallu l'accident, la mort de David, la perte de l'enfant, pour que j'aille à Borobudur, que je rencontre Hans, que je me remette à vivre. Comment expliquer autrement ce qui m'était arrivé?

Nostalgie...

Voyager avec Hans avait été un vrai bonheur. Trois mois d'un perpétuel ciel bleu. Sans nuages, sans orages, sans passion, sans ivresse. Je vivais mon allégresse, une joie qui se nourrissait d'elle-même, fruit d'une vie pleine et superbe. Pleine et vide à la fois. Où était la course folle d'autrefois? Jour après jour, avec patience, Hans me massait, redonnant à mon corps, à ma jambe, un peu plus de souplesse. Jour après jour, avec patience, Hans m'initiait au yoga et à la méditation. J'apprenais avec lui à relâcher la tension de mon corps, à écouter ses messages. Discipline de tous les instants. Douce discipline. Rien à voir avec celle dont la danseuse morte avait l'habitude pour la mener au succès, au triomphe, dans un corps maîtrisé, aux muscles d'acier. Cette discipline, dont le seul but, simple en apparence, est d'unir corps et esprit, d'atteindre une paix, une harmonie profonde, m'épargnerait au fil des jours les rechutes, le coup de chagrin qui déferle sans crier gare, le doute brutal qui vous assaille — pourquoi survit-on quand l'être aimé est mort? —, le rêve trop bref qui vous l'amène, cruellement insaisissable.

Un jour, nos routes s'étaient séparées. Hans était parti de son côté, moi du mien. Plus exactement, il était rentré chez lui, seul. Pourquoi? Simple et compliqué à la fois. Hans était un jeune homme; j'étais plus âgée que lui. De plusieurs années. Une femme au passé chargé. Enfin, c'est ce que je disais! Hans avait tenté de me convaincre. Le présent, qui se conjuguait au bonheur d'être ensemble et de travailler à trouver une même paix intérieure, nous garantissait un avenir serein. Mais plus l'Europe et l'avenir approchaient et plus je m'affolais. Si j'apprenais à contempler le passé avec détachement, l'avenir suscitait encore en moi peur, anxiété, crainte. Émotions qui me perturbaient, me bouleversaient.

Nos émotions, nos idées sont nos prisons, nos enne-mies. Nous nous les infligeons comme autant de coups de massue. Ces chipies me soufflaient que les années que j'avais de plus que Hans se verraient dans le regard des autres, qu'un jour il me reprocherait les enfants que je ne lui aurais pas donnés, qu'une femme plus jeune me le volerait. S'il s'installait au Canada, soufflaient encore les chipies, il s'ennuierait de ses montagnes d'Autriche, il trouverait l'hiver trop long, les étés trop courts. Hans s'était efforcé de déjouer les chipies, m'avait juré que vivre au Canada serait pour lui la réalisation d'un rêve, que le plus grand de ses bonheurs serait d'être avec moi, puis il avait abandonné la partie. Un jour, avait-il dit, si j'étais prête, quand je serais prête, je lui reviendrais. Il m'attendrait.

Nostalgie...

À Luang Prabang, Allegra, sans allégresse, attendait l'avion qui la mènerait à Vientiane avec un autre homme, bien différent de Hans semblait-il.

Une dernière fois, le jeune homme m'avait tendu sa main cuivrée. Quelques minutes encore et notre rencontre ne serait plus qu'un souvenir, un beau souvenir! Tant de générosité, tant de gentillesse! J'aurais volontiers embrassé cet adolescent, n'eût-ce été que pour lui dire que Luang Prabang, sans lui, aurait eu moins de charme; mais une femme n'embrasse pas un homme sous de tels cieux. Je joignis spontanément les mains sur ma poitrine pour le saluer. Il partit, léger comme un elfe. Je dus me presser pour rejoindre Mark.

Nostalgie...

☙

VIENTIANE à nouveau.

Curieusement, la capitale me paraît moins bourgade qu'au premier jour. Je n'avais pas accordé, à notre arrivée, le moindre regard indulgent à ses boutiques, ses banques, ses restaurants, ses mobylettes, ses mendiants, ses infirmes, tous là à cause de nous, touristes bien nantis. Je n'avais pas vu non plus ses ambassades, modestes villas entourées d'un jardin qui s'égrènent tout au long d'une avenue de terre rouge, éventrée par un tout-à-l'égout qui n'en finit plus de se construire. Je retrouve avec plaisir ses vieilles pagodes, pour la plupart devenues de simples musées. Autrefois glorieuses, elles rivalisaient avec celles de Bangkok. Elles ont aujourd'hui perdu panache et dorures. Le Laos est pauvre et son gouvernement, communiste. Pas d'argent pour la religion.

Le soleil se couche dans son nuage de pollution, de l'autre côté du Mékong, au-dessus de la Thaïlande. La musique locale, que diffusent des haut-parleurs, me rappelle Seng Soukh et les mariages laotiens de Montréal. C'est le monde à l'envers : Vientiane me rappelle Montréal ! Seng Soukh me manque tout à coup. Je voudrais qu'elle soit là, avec moi, sur la rive du Mékong.

La terrasse de ce café est le point de ralliement des routards : une Québécoise qui fait seule le tour du monde, un couple de Français qui se contente de l'Asie. La Québécoise est de Montréal, les Français de Paris. La Québécoise s'envole pour Bangkok, les Français pour la Birmanie. Elle arrive comme nous de

Luang Prabang; ils arrivent de Paksé, nous donnent adresses et tuyaux. Décrocheurs du système, ils roulent leur bosse, rentrent au bercail pour ramasser trois sous et mettent la clé sous la porte sitôt les trois sous ramassés.

Conversation animée. Étrange que Mark, si peu curieux de mon passé, s'intéresse tant à celui de ces nouveaux venus! Poignée de mains vigoureuse : les Français nous quittent. Mark donne des nouvelles du pays à la Québécoise, qui commence à souffrir de nostalgie! Elle est infirmière, elle a trente ans, elle a pris un congé d'un an, elle est célibataire. Il sourit, se montre courtois, attentionné. Je reconnais en lui l'homme des débuts, l'homme qui me courtisait. Elle est jolie, a une allure sportive et délurée, avec son short et son t-shirt, ses cheveux courts et fous. Elle n'a sûrement pas, comme moi, traversé un jour le miroir.

Après la traversée du miroir, j'avais décroché de tout. Par la force des choses d'abord, par choix ensuite. Le voyage, en effet, c'est un jour ici, l'autre là, le renoncement inconscient d'abord, conscient ensuite, à une civilisation où priment productivité, rendement, performance, même quand on danse. Peut-être plus encore quand on danse. Renoncement, oubli, fuite. Avec Hans, cependant, le voyage était devenu mieux qu'une fuite, le début d'une reconstruction, d'un réapprentissage. Hans cherchait en Asie à mieux s'imprégner de philosophie orientale. Avec lui, j'avais appris à me défaire des plans de vie, des attentes. Chaque jour apportait ses joies, ses découvertes, sa paix, sa sérénité; sa douleur aussi, inévitable, aussi inévitable que les tracas du voyage! Chaque jour, j'apprenais à goûter l'instant présent, dans sa simplicité, son essence. Moi dont l'emploi du temps se prévoyait auparavant avec une ou deux années d'avance, moi dont la passion pour David et la danse avait été la seule fantaisie, je devenais experte à gérer l'imprévisible, à l'espérer, même! Après tout, l'imprévisible était entré subrepticement dans ma vie sans que je le désire, par une nuit ordinaire, sur une autoroute ordinaire, me privant à jamais de ce qui avait été ma raison d'être. Il ne me restait plus qu'à me faire un allié de cet effronté, de cet ennemi qui aurait pu me briser. Je devenais fantaisiste. L'héritage de David, l'influence de Hans, mon choix aussi, ma décision.

Bien différent, ce voyage-ci! Mark n'est pas Hans et je ne suis peut-être plus exactement la femme qu'a connue Hans. Je n'ai jamais cherché à plaire à Hans, Hans n'a pas cherché à me plaire non plus. Nous nous sommes trouvés sans nous chercher, acceptés sans nous juger. À Vientiane, sur la rive du Mékong, je commence à croire que je cherche à plaire à Mark. À moins que j'aie peur de lui déplaire? J'ai l'impression au fil des jours de marcher sur des œufs. J'ai souci de mon élégance, de mon apparence et cela commence à me peser. Je me demande soudain, à voir ces femmes en short, à l'allure décontractée, de quoi j'ai l'air avec ma jupe longue, mon chemisier de mousseline vaporeuse, mon chapeau de paille et mes lunettes de soleil dernier cri, mes cheveux sortis tout droit des mains expertes d'une coiffeuse.

J'ai trouvé en ville un *salon de coiffure Seng Soukh*. C'est ce que disait l'enseigne dans un alphabet que je pouvais lire! Retrouver ici une Seng Soukh, voilà qui était amusant ! Mais celle-ci, robuste, grande, n'avait rien de ma frêle amie de Montréal. Incapables de nous comprendre, elle qui ne parlait ni anglais ni français, moi qui ne parlais pas laotien, il ne nous restait que le langage des mains ! Courts, courts, les cheveux, disaient les miennes. Venez par ici, disaient les siennes. À l'arrière de la boutique, quelques hommes étalés sur des sofas ont décampé et je me suis retrouvée sur une espèce de table de massage, la tête au niveau d'un lavabo. La douceur de se faire materner, de sentir des mains masser mon cuir chevelu, l'eau chaude couler sur ma tête, comme une pluie chaude et douce sur ma peau…

C'était à Bali,
un soir d'orage.

Dans la cour de la *guest-house*, debout sous une gargouille qui crachait une eau claire et limpide, la maîtresse de maison lavait ses longs cheveux noirs. Elle m'avait invitée à la rejoindre. Moment inoubliable, heureux. Elle était si habile à se laver sous son sarong sans rien dévoiler de sa nudité, et j'avais l'air si embarrassé dans mon maillot de bain. Nos rires fusaient. Il faisait bon. L'eau était chaude, l'air était doux, le thé délicieux, la vie belle, très belle. Jamais avant mon accident, je n'avais apprécié la pluie. Jamais non plus je n'avais apprécié le temps ! Pas le temps ! Juste celui de courir pour le rattraper, tout le temps. La danse, les déplacements, les attentes entre deux avions, deux spectacles, deux répétitions, la vie à deux, la course folle, la folie qu'est la vie ! Et puis, tout à coup, tout bascule. Traversée du miroir, descente dans un trou noir où la bête blessée lèche ses blessures. Plus tard, beaucoup plus tard, sans crier gare, le soleil se met à briller au-dessus du trou, la pluie à chanter, le temps à marauder. Alors, la bête sort du trou, gambade au soleil, dans l'arc-en-ciel laissé par la pluie.

Avant d'aller au *salon de coiffure Seng Soukh*, je m'étais fait masser. Il y a quelque chose d'étrange, de tabou presque, à se laisser caresser par des mains de femme. Rien à voir avec les mains blanches et timides d'une masseuse de par chez nous, qui écartent ici et là un bout de drap pour toucher, comme en s'en excusant, un endroit qu'une pudeur toute puritaine exige de tenir secret! Rien à voir non plus avec les mains de Seng Soukh, qui m'avaient prodigué, avec la tendresse d'une mère, les soins les plus intimes qu'exigeait mon retour à la vie. Non! J'ai d'abord sué à grosses gouttes dans un sauna de fortune, cabane de bambou perchée sur un tonneau d'eau chauffée au bois, d'où montait une vapeur parfumée d'herbes odorantes. « Pas de massage, avait dit le gardien de ces lieux. Plus de place! » *Don't worry*, avais-je pensé. Miracle, en effet. Je buvais un thé quand il m'avait fait signe : « *Massage! Quick!* » Une demi-heure. Pourquoi pas une heure? Impossible. Qu'à cela ne tienne! Ces mains douces qui m'explorent, détendent chacun des nœuds de mon corps, s'attardent sur ma jambe blessée, valent toute cette attente! Rien à voir avec les mains de ce merveilleux masseur qu'était Hans, toutefois.

Nostalgie encore.

Mark avait poussé des cris d'horreur quand je lui avais raconté mon aventure. Et l'hygiène dans tout cela? Cette femme s'était-elle seulement lavé les mains avant de me palper ? Et ce matelas fatigué posé à même le sol sur lequel je m'étais étendue, combien de gens s'y étaient couchés avant moi ? Combien de microbes, de virus s'y cachaient ? J'avais protesté que si on s'attendait à tout trouver comme chez soi, on ne ferait jamais rien : on ne mangerait pas, les restaurants n'étant pas de vrais restaurants ; on ne bougerait pas, les avions étant de vrais coucous et les taxis d'inconfortables motos. Mark était resté sur ses positions. Se faire ainsi masser, pire, en jouir, était inconcevable, choquant même ! J'eus envie de lui raconter cet autre massage, au fond d'une baie, quelque part au sud de la Thaïlande, mais je me retins. À quoi bon !

C'était dans un village de pêcheurs musulmans construit sur pilotis. Hans et moi y avions fait halte. Ce soir-là, nous nous étions fait masser. Massage vigoureux pour Hans, qui en appréciait toutes les vertus. Massage plus doux pour moi. Les mains rudes du masseur s'étaient arrêtées, comme saisies, au bord de mes cicatrices, puis elles avaient repris leur travail, tout en douceur. Il me semble encore ressentir les effets apaisants de ces mains d'homme qui comprenaient et respectaient ma souffrance. À peine le massage était-il terminé que le pêcheur chez qui nous logions nous avait appelés, l'air bousculé. Sans autre explication qu'un geste de la main, il nous avait fait grimper dans sa pirogue à moteur pour filer jusqu'à un phare au loin dans la baie. Spectacle merveilleux ! À peine l'avait-il allumé qu'il nous pressa de redescendre et de regagner au plus vite le bateau. Tant de hâte chez cet homme doux et calme avait de quoi surprendre. Et pourtant ! Il n'y a pas de mots assez forts, assez puissants, pour décrire ce que, dans sa gentillesse, dans sa simplicité, il voulait nous faire découvrir. Le sourire aux lèvres, le visage inondé de lumière, il conduisait son bateau à travers la baie semée de pains de sucre à une vitesse telle que, illusion d'optique bien sûr, le soleil se coucha sept fois en quelques minutes! Comme par magie, il disparaissait derrière un rocher pour réapparaître quelques secondes plus tard. Spectacle inoubliable, féerique, à la limite du divin! Enivrés par tant de beauté, émus aux larmes, Hans et moi ne formions plus qu'un.

Et j'avais laissé partir Hans!

Sur le bord du Mékong, la jeune Québécoise et Mark discutaient avec animation. Je les avais presque oubliés; j'avais même oublié où je me trouvais, perdue dans un ailleurs qui tout à coup me paraissait meilleur, où je me sentais moins seule. On aurait dit qu'ils m'avaient oubliée, eux aussi. Petite pointe de jalousie? Non. Même du temps de la danse et de David, j'ignorais la jalousie. Intriguée plutôt devant cette étrangère qui paraissait plaire à Mark et l'arrachait à sa morosité, habituelle depuis quelques jours. Petite question saugrenue : qu'arriverait-il s'il me découvrait un matin telle qu'en moi-même, dans la simple beauté d'une femme au réveil et si, comme cette jeune femme, je portais short délavé, t-shirt fatigué, cheveux en broussaille?

Belle, je me savais belle, racée même, chic et élégante, autrefois comme aujourd'hui, même si je cachais mes jambes sous une jupe longue ou un pantalon, et la grimace de mes accès de douleur impromptus sous un sourire. Mais ces accès de douleur, il est vrai, j'avais essayé de ne pas les montrer à Mark. Il avait, comme

Hans avant lui, découvert dans l'étreinte les cicatrices de mon corps. Il n'avait rien dit, rien fait, rien manifesté, comme s'il n'avait rien vu. S'il s'était demandé ce qui m'était arrivé, quelle avait été ma vie avant lui, il n'avait posé aucune question et je n'avais proposé aucune explication. J'avais moi aussi fait comme si de rien n'était. Étonnante, cette discrétion, lui qui bavarde librement, sans retenue, avec cette inconnue! Est-ce moi qui, par mon attitude, ai retenu les questions avant qu'elles ne surgissent? Est-ce moi qui par ma réserve l'empêche de me tendre la main, de m'offrir son aide? J'aurais pensé aussi qu'il s'étonnerait que je me fasse appeler Allegra, quand mon passeport dit que je me nomme Julie. Mais non, rien, aucune surprise, aucune question. D'autres questions me viennent, toujours aussi saugrenues: serais-je en train, avec ma jupe longue, ma blouse chic, mon chapeau de paille, mes lunettes de soleil, et mes cheveux bien coiffés, de renoncer à une partie de moi-même, à une certaine authenticité, pour plaire à Mark? Serais-je en train de perdre ma liberté? de me cacher? de dissimuler une partie de moi-même, sans m'en rendre compte? Insidieusement?

Le soleil s'est couché. La jeune femme est partie. En silence, nous avons cheminé dans les ruelles qui s'illuminaient. À l'hôtel, nous avons partagé notre repas avec une Française. Enseignante, elle faisait un sprint autour du monde, en deux mois de grandes vacances. De la Nouvelle-Calédonie à la Nouvelle-Calédonie. Elle arrivait du Canada, dont elle avait voulu connaître l'hiver. Elle avait grelotté toute une nuit près d'un lac gelé des Laurentides, dans une cabane mal chauffée. Comble de l'exotisme, elle avait bu l'eau du lac et attrapé la *tourista*! Tout pour ne pas faire comme chez elle. Qu'était-elle allée chercher au fond des bois?

Et nous, que cherchions-nous au Laos?

Un instant présent qui deviendrait passé et souvenir communs. Que nous nous remémorerions au coin du feu, plus tard, bien plus tard, si nous résistions à ce décalage d'émotions qui semblait nous caractériser depuis notre départ de Montréal. Je me rendis compte soudain qu'à Phonsavanh comme à Luang Prabang, nous n'avions jamais partagé un seul coucher de soleil, un seul lever de soleil. Jamais nous n'avions communié dans une même lumière. Pris chacun par des émotions différentes, devenus comme étrangers l'un à l'autre, nous avions du mal à jeter un pont entre nous.

❧

Départ de Vientiane tôt le matin. Destination : le sud du Laos.

Ce n'était plus un voyage, mais un *crapahutage* total. Pour ce qui était de l'inconfort et de l'insécurité, l'avion n'aurait pas été pire ! Mais nous avions convenu, bien d'accord sur ce point, m'avait-il semblé, que nous ne perdrions plus de temps dans des aéroports de brousse ou dans les bureaux de Lao Aviation. Après tout, pourquoi ne pas faire comme la majorité des Laotiens, se frotter à leur façon de vivre et voyager comme eux dans ces autobus bondés bien avant le départ ?

Arrivés en même temps que deux Espagnols, nous crûmes un instant que nous ne partirions pas. C'était sans compter sur l'autorité du chauffeur. Et la gentillesse de ce peuple trop habitué à obéir ! En bas tout le monde ! Sauf nous, bien sûr, qui n'avions plus qu'à choisir nos places ! J'eus peur, encore une fois, que des Laotiens restent sur le carreau pour permettre notre départ. Pas du tout ! Avais-je donc oublié que les Asiatiques voyagent dans n'importe quelles conditions ? Vingt-trois, vingt-quatre personnes bien tassées dans un *bemo*, cette camionnette qui sert au transport public en Indonésie, voilà une norme raisonnable ! Le chauffeur fit donc l'appel des passagers, qui se tassèrent un à un sur les sièges, tout sourires, sans la moindre trace d'hostilité à notre égard. Quant aux derniers, aux retardataires qui ne figuraient pas sur la liste officielle, ils furent autorisés à rester debout à l'avant, ou assis sur le moteur. Sacs à dos sous nos pieds, genoux au menton, nous étions à l'aise, après tout. Ou presque… Pas de quoi se plaindre !

Deux cents kilomètres et neuf heures de paysage des-séché, de pauvres villages, d'un maigre ruban d'asphalte interrompu ici et là par un pont jeté sur un cours d'eau moribond. Un pont? Une armature métallique et deux planches pour les roues. Ralentissement de l'autobus qui vise les deux planches, vacarme complet, vitesse folle, à nouveau la route. Tout à coup, une rumeur derrière moi. Chacun s'est dressé sur ses ergots, regard vissé en avant sur un spectacle que je ne vois pas. Mark jure entre ses dents, lui toujours si cor-rect! Cachée derrière le siège du conducteur, je n'ai même pas le temps d'avoir peur que l'autobus rit déjà... jaune sans doute. Un souffle passe sur ma joue : un camion de l'armée me frôle à ma gauche. Il en avait doublé un autre dans une courbe, fonçant droit sur nous. Notre chauffeur et celui du camion doublé avaient tous deux ralenti, laissant au troisième un espace tout juste suffisant pour passer. Sauvée!

Don't worry.
Qui cette fois-ci m'a protégée du désastre?

Savannakhet! Courte halte au bord du Mékong et bourgade sans grand charme aux maisons blanches et basses, alignées sagement le long de rues étroites paral-lèles ou perpendiculaires au fleuve. Avec les Espagnols, nous trouvons refuge pour la nuit dans un hôtel à l'aspect engageant, mais à la propreté douteuse. J'ai sorti mon inséparable sac à viande, fidèle compagnon de voyage, l'ai étendu sur le drap. Avec lui, je me sens chez moi, dans mes affaires. C'est mon hygiène à moi, mentale et physique, en toutes circonstances. Puis, tongs aux pieds, j'ai pris ma douche, debout dans une baignoire couleur de rouille, sous une eau à température ambiante — autrement dit, caniculaire. Soupçon de maquillage, pour remédier aux dommages du voyage. Rituel inutile, frivole, dépourvu de sens à mesure que j'avance, mais auquel je souscris cependant, car au fond, tout ce qui m'importe, tout ce que je veux, au terme d'une longue journée, c'est me laver, me changer, être propre, avoir l'air normal, un peu comme ces bons Anglais que Sa Majesté envoyait aux Indes et qui tous les soirs soupaient en habit, servis par des domestiques gantés de blanc, au fin fond de la jungle, de la brousse ou des montagnes. Pour sauver les apparences et tromper leur ennui. Il me semble mieux les comprendre tandis que je m'affaire à me redonner bonne mine, une mine que Mark approuvera.

Taciturne, Mark! Propre, élégant, beau comme à son habitude, pas particulièrement fatigué, disait-il, mais — car il y avait un mais — contrarié. Mark n'a pas aimé les arrêts-pipi en pleine nature, les haltes dans les villages, l'autobus pris d'assaut par de jeunes vendeuses. Brochettes de poulet? Brochettes d'œufs cuits sous la cendre? Instant de recul devant la couleur kaki des œufs. Regards amusés des Laotiens. Ô surprise! Les œufs sont délicieux! Tout le monde rit, puis, au fil des heures et des cahots de la route, s'endort. D'un tempérament bon enfant, grands et petits voyagent sans cris, sans pleurs, sans heurts, sans le moindre signe d'impatience, les bébés accrochés au sein de leur mère, les plus grands lovés sur leurs genoux. De temps en temps, entre deux cahots, maman ou papa change la culotte mouillée — pas de couches jetables ni même de couches dans ce pays — et on se rendort. Cette proximité douteuse, cette intimité ont répugné à

Mark. Il regrette l'avion, paraît avoir oublié nos heures d'attente, nos démêlés avec Lao Aviation, tout le temps perdu, les contrariétés, les frustrations. Je pourrais lui dire que je ne m'attendais pas à pareille odyssée, mais ce ne serait pas vrai. Si j'étais honnête avec lui, je lui avouerais qu'au fond de moi, je le savais. J'ai visité trop de pays où les routes n'avaient de route que le nom, pris trop de trains au confort incertain, trop d'autobus aux pneus usés pour avoir pu penser un seul instant que ce voyage serait de tout repos.

J'aurais pu raconter à Mark cette inoubliable descente de l'Himalaya, du Népal à l'Inde — descente de deux jours —, de la neige des plus hauts sommets du monde à la jungle plate et chaude. Mais pourquoi ? Pour souligner, si cela était utile, la différence qu'il pouvait y avoir entre nos vies ?

Pendant cette descente, j'avais frôlé la catastrophe. Un pneu avait éclaté dans un virage. Le ravin s'était rapproché. Je m'étais dit un court instant que si j'avais échappé à la mort une fois, je lui échapperais encore cette fois-ci. L'autobus s'était immobilisé au bord du précipice. Tout le monde était descendu, qui du toit, qui de l'autobus, pour observer les dégâts et des hommes s'étaient affairés à remplacer le pneu crevé par un autre, tout aussi usé. Chacun s'était soulagé aussi discrètement que possible, dans un paysage d'une beauté à couper le souffle, avant de poursuivre la route. Hans avait rejoint les autres Occidentaux sur le toit. Pour la beauté du paysage, mais aussi pour ne plus voir hommes et femmes cracher par les fenêtres ou à nos pieds. Je l'avais envié, mais j'étais restée à ma place. Près de moi, assise par terre dans l'allée, une femme avait vomi tranquillement et discrètement dans son châle. J'avais pris sa petite fille sur mes genoux ; elle avait nourri son bébé entre deux haut-le-cœur. À notre arrivée à l'hôtel, qui tenait davantage d'une prison que d'une auberge, l'atmosphère était au fou rire. Les voyageurs du toit avaient aimé, savouré chaque instant de cette descente. Très exotique, rien de conventionnel, que de bons souvenirs à raconter au retour ou, plus tard, à ses enfants ou à ses petits-enfants, quand ceux-ci seraient portés à croire que leur ancêtre était un personnage sérieux, peureux, sans histoires, sans passé tumultueux !

Pourquoi me serais-je excusée d'avoir entraîné Mark dans une aventure somme toute ordinaire sur une route du Laos ? Après tout, elle n'était pas pire que celle de l'Himalaya ; personne n'avait été malade, n'avait craché ou vomi sous son nez. Il aurait pu trouver l'expérience amusante, intrigante, enrichissante ; il aurait pu en rire, se voir déjà la raconter, au retour. Non, rien de tout cela. Il s'était couché sans un mot. La fatigue, certes, l'exiguïté de nos lits, nos draps douteux, mais surtout, la contrariété. Elle se lisait sur le visage d'un homme qui regrettait d'être là où il était et qui, de toute évidence, aimait tout, sauf l'imprévisible !

Méditer au bord du Mékong aurait pu être un remède. Nenni. À cause des moustiques. Et de la quinine. Celle que nous ne prenions pas, que nous avions décidé de ne pas prendre, bien d'accord là-dessus, dans le confort salubre de Montréal ! Il suffirait, avions-nous pensé, de ne jamais nous promener en manches courtes à l'heure où attaquent les bestioles. Mais alors, il aurait fallu renoncer aux couchers de soleil sur le Mékong! À Vientiane comme à Luang Prabang, tout avait été parfait, les moustiques étaient restés terrés dans leurs repaires. À Savannakhet, ils chantaient une tout autre chanson. La chaleur sans doute! Six heures. Un verre de bière à la main, Mark chasse de son chapeau de cow-boy les insolents qui s'approchent de son crâne. Un Français qui sirote sa bière non loin nous raconte, rassurant — il vit au Vietnam —, que ce n'est pas à cette heure-ci que piquent les moustiques de la malaria et qu'en plus, la quinine, l'Institut Pasteur ne recommande plus d'en prendre. Et puis, quinine ou pas, on finit toujours par attraper la malaria. Il rit. Je ne sais trop quoi dire. Mark boude : dans la neige et dans le vent, pas de malaria au Canada!

೦ನ

Dᴇᴜxɪèᴍᴇ ᴊᴏᴜʀɴéᴇ d'autobus.
Allions-nous au bout du monde ?
Au bout de nous-mêmes, certainement !

À cinq heures du matin, l'autobus avait été pris d'assaut.
Les Espagnols, Antonio et Mireia, s'étaient tassés avec
d'autres touristes, sortis de la nuit, sur la banquette
arrière et nous, sur un siège abrégé de son dossier, tout
à l'avant. Aux premières loges pour l'accident ! Le
pare-brise, cassé, tenait grâce à trois boulons et trois
morceaux de pneus que des écrous maintenaient en
place. Le moteur chauffait, au détriment des malheureux qui s'asseyaient dessus, et le châssis était pourri !
Mireia avait ainsi perdu sa bouteille d'eau. Elle lui
était tombée des mains, avait disparu dans un trou et
glissé sur la route. À l'arrivée, tard dans l'après-midi, la
jeune femme était rousse, du même roux que la piste
dont elle avait respiré la poussière à pleines bouffées.
En me déshabillant pour prendre ma douche, je
m'aperçus que mon chemisier et moi, nous étions
nous aussi devenus roux.

Petit tour de Paksé en moto-taxi.

Guest-houses sans confort. Grand Hôtel de Paksé d'ins-
piration stalinienne avec vue imprenable sur le marché, tout aussi stalinien, mais qui s'était effondré ! Et
pour finir, à la grande joie de notre chauffeur —
excédé, mais sans excès, en pur Laotien —, une jolie
chambre avec véranda ouvrant sur un jardin chinois.
En sus, une vieille *mama* qui plie le linge sur la terrasse
et nous offre le thé. Un havre de paix mérité !

Paksé, avant-poste qui date de la colonie française, ville sans charme, laide même. Ici, pas d'histoire, pas de passé, pas de monastère, pas de stupa. Une ville plate, une ville de commerce, au confluent d'une petite rivière et du fleuve, d'où émergent les piliers d'un futur pont. Le deuxième au pays. On parle aussi de barrage. Ce fleuve naguère vierge, et dont l'eau est une richesse, devient, chaque jour davantage, un enjeu de taille pour les pays qu'il traverse. Insensible aux convoitises dont il fait l'objet, il grouille d'activité. Inlassablement, un traversier fait passer d'une rive à l'autre des camions qui font la navette entre la ville et la frontière thaïlandaise toute proche. Des pirogues à moteur, gros chalands qui transportent marchandises, bêtes et gens, vont et viennent. Le port, le point d'embarquement, devrais-je dire — car parler de port ou de quai d'embarquement n'aurait aucun sens —, est jonché de cartes à jouer. Ici comme ailleurs en Asie, le jeu est roi et permet aux hommes de passer le temps. Cela dit, pas question de rejouer avec les mêmes cartes que celles avec lesquelles on a perdu! Elles porteraient malheur. On les déchire et on les jette, là où on est, où on joue! Sur la berge du Mékong!

⁓

Jardin de Paksé.
Petit déjeuner en amoureux.
Sans moustiques et sans hâte.

En amoureux, ai-je dit ? Tout aurait pu le faire croire à l'observateur naïf qui aurait regardé ce couple élégant, lui coiffé d'un chapeau de cow-boy, elle d'un chapeau de paille. Cependant, un observateur perspicace aurait eu tôt fait de remarquer l'air boudeur du voyageur.

Déçu, très déçu, Mark ! Ce n'était pas l'idée qu'il se faisait d'un voyage, encore moins d'un voyage de noces prénuptial ! Tout ce chemin, pour si peu ! Pour si peu ? Oui. Pour si peu. J'étais d'accord avec lui sur ce point. Le Laos n'est pas l'Italie ou la France, loin de là, mais nous le savions avant de partir. Le Laos a été, presque de tout temps, un pays pauvre ; il le reste. Le palais-musée de Luang Prabang, pitoyable témoignage d'une royauté éphémère et sans éclat, n'a rien du Louvre, et les sanctuaires-musées de Vientiane, plus touchants que somptueux, ne rivalisent pas avec la basilique Saint-Pierre de Rome. Mais sommes-nous venus ici pour voir de somptueux monuments ? Le paysage, sans être monotone, n'est jamais grandiose, je le concède encore, mais cela aussi nous le savions. Et voyager, enfin, n'est-ce pas aussi, plutôt que voir des paysages, les regarder avec des yeux neufs ?

En cette fin de saison sèche, le Laos ne montre certes pas son plus beau visage. Rien à voir avec Bali, ses rizières de toutes les teintes de vert accrochées en terrasses, à flanc de montagne, son eau qui court, cascade et miroite sous le ciel. Rien à voir non plus avec le Népal dont les sentiers serpentent à fleur de rizière et vous décochent en plein cœur, au détour d'une colline, le sari rouge de femmes en route vers un lieu de pèlerinage se détachant sur les neiges de l'Himalaya. Ici, au Laos, la piste vers le sud monte et descend, rectiligne et sans fantaisie, traverse de modestes villages aux ternes sarongs de femmes. À un croisement, au milieu de rien du tout, deux touristes sont descendus de l'autobus. Ils partaient en excursion vers des plateaux où, disait notre bible, poussaient des caféiers et une végétation luxuriante. Pas à cette époque, avions-nous pensé. Bien vu, confirmèrent des voyageurs à l'heure du *happy hour,* à la terrasse du Grand Hôtel. Les plateaux étaient roux. Roux comme le paysage. Roux comme la route.

Tout ce chemin pour rien, disait Mark!

Pas pour rien, Mark! Pour aller plus loin, toujours plus loin. Vers l'inconnu. Pour repousser les frontières du connu.

Autrefois, le seul mot de Bangkok me faisait rêver. J'en aimais la sonorité, l'exotisme. Aujourd'hui, il me renvoie à des images. À un fleuve encore, le Chao Praya. Majestueux, il charrie des monceaux de lianes vertes au milieu desquelles se lavent des hommes et des femmes en sarong. Des pirogues à longue queue le sillonnent dans le fracas de leur moteur, chargées de gens et de marchandises. D'un côté brille la mosaïque des tours du Temple de l'Aurore; de l'autre, l'or des stupas du Vat Pra Kheo. D'un côté se meurt la banlieue des maisons de bambou sur pilotis; de l'autre se bouscule le petit peuple du marché de fleurs, de fruits et de légumes. Si j'y pense encore, j'oublie de respirer, à cause de l'air pollué, et je vois les policiers masqués qui dirigent une circulation de Titans fumants et crachotants. Mais le Chao Praya revient à mes yeux, comme par magie.

Pas pour rien, Mark!
Pour aller aux frontières de ce que l'on connaît de soi-même.
Pour rompre ses amarres.

Quand David m'avait quittée, sur une route du Canada, j'avais rompu mes amarres. Sans le savoir et sans le vouloir. J'avais longtemps espéré que la vie reprenne, comme avant. Ce que je ne savais pas alors, c'est qu'il n'y a pas de retour en arrière. On ne retourne jamais en arrière. La vie continuait pour les autres, imperturbable, comme si de rien n'était; je m'en étonnais d'ailleurs, mais pour moi, elle ne pouvait plus jamais être la même. Impossible d'oublier qu'il s'était passé quelque chose, quelque chose qui faisait que jamais, plus jamais, je ne serais comme avant. Locataire d'un corps différent, fragile, avec lequel il avait fallu que je fasse connaissance, dont j'avais dû apprivoiser les limites.

Pas pour rien, Mark! Pour apprécier le simple plaisir d'être en vie.

Un jour, à Bali, j'étais arrivée avec une tête d'enterrement — le mot n'est pas de trop — à une crémation. Quel spectacle! Haut en couleur, plein de vie! Si les pleureuses pleuraient près du corps embaumé du défunt, elles étaient bien les seules! La foule se pressait dans les jardins, souriante, détendue, dégustant les mille

85

et une victuailles que leur offraient des serveurs. Mon air d'enterrement, je l'avais vite compris, n'était pas de circonstance. La flamme du bûcher allait enfin libérer l'âme du défunt. C'était donc la fête, une fête attendue mais repoussée de quelques mois, le temps de réunir la somme nécessaire. Et pour s'assurer que cette âme ne revienne pas hanter des lieux trop familiers, les porteurs feraient tourner le cercueil en tous sens pour mieux la désorienter. Sous les frondaisons où se préparait le bûcher, il s'était mis à pleuvoir, une pluie diluvienne et chaude, typique des cieux tropicaux. Le cercueil avait attendu, abandonné sous l'ondée. Chacun avait cherché refuge quelque part. À l'abri sous mon parapluie, trois porteurs riaient aux larmes, peut-être de mes vêtements qui me collaient à la peau. Une heure plus tard, dans la vapeur tiède qui émanait de la terre et des lourds feuillages, parents et amis avaient parfumé, chouchouté, dorloté une dernière fois leur défunt et les porteurs avaient allumé, non sans peine, le bûcher. Quand les flammes avaient léché le cercueil et que celui-ci s'était mis à suinter, j'avais quitté les lieux, sereine. Il me semblait que dans la fumée qui montait, partait l'âme du défunt en même temps que la mienne, celle d'autrefois. Comme à l'amant perdu, je lui avais souhaité bon voyage vers l'éternité : « Ô être aimé! Ne reviens plus parmi nous, va-t'en vers ton destin, et nous, nous accomplirons le nôtre, sans toi. Sois en paix. »

Pas pour rien, Mark! Pour nous découvrir l'un et l'autre. L'un l'autre. L'un à travers l'autre. Voilà, c'était cela aussi, le but du voyage. Plus que d'aller vers de nouveaux paysages, nous allions l'un vers l'autre, loin de nos repères familiers.

Si d'aventure un observateur plus que perspicace avait épié ce couple d'amoureux dans le jardin de Paksé, il n'aurait certes pas manqué de voir l'air boudeur du voyageur, mais il aurait aussi vu la lueur moqueuse dans les yeux de sa compagne.

Pas pour rien, ce voyage au bout de la terre, Mark !

☙

Balade à Champassak.
Deux heures de pirogue.

Instant de frayeur. Et de désarroi.

Descendre la berge, dont l'eau s'est retirée au fil de la saison sèche, tient de l'exploit sportif. Le sol est boueux, glissant ; les marches de bois, recouvertes de terre ; la pente abrupte, jonchée de pelures de noix de coco et de détritus ; la passerelle qui mène aux bateaux, une maigre planche.

En enjambant le bord du bateau, j'ai failli plonger un pied dans l'eau douteuse ! Une main brune et généreuse s'est tendue vers moi. Heureusement, car mon esprit, prompt à se décourager, insinuait déjà que je ne réussirais pas à m'en sortir !

Mark m'avait précédée sur la passerelle d'un pas vif et alerte, s'était assis à l'avant du bateau. Un bonze s'installait près de lui. Au passage du saint homme, les Laotiens avaient courbé la tête, les femmes surtout, qui n'ont pas le droit de le dépasser, pas même d'une demi-tête. On s'était affairé à lui trouver une boîte sur laquelle il s'assiérait pour qu'il reste au-dessus de la mêlée. Il avait pourtant l'air bien ordinaire, cet homme, l'air gêné aussi de susciter autant d'embarras ! À peine assis, il engagea la conversation avec Mark, peut-être attiré par son crâne aussi chauve que le sien. Dans un anglais à peine compréhensible et dont les effets se lurent bien vite sur le visage de Mark, il se mit à lui raconter la vie du Bouddha, de sa divine naissance d'une mère enceinte d'un éléphant blanc à l'éveil final sous l'Arbre de vie. Voulait-il faire avancer Mark sur la Voie de l'Éveil ?

Fleuve bas entre de hautes berges. Difficile de croire que ses eaux puissent ainsi monter de huit à neuf mètres à la saison des pluies, avalant tous les potagers pour les restituer à la saison sèche. La vie, toute la vie sur ces berges ! Des cahutes sur pilotis ; une femme qui lave son linge les pieds dans l'eau ; des enfants qui nous font des gestes amicaux et se jettent à l'eau en poussant des cris de joie à notre passage ; des pêcheurs qui lancent leur filet, debout dans une coque de noix. Et le ciel, immense, bleu, qui m'attire et m'envoûte.

Deux heures de pirogue.
Bruit fracassant du moteur.
Tout à coup, le souvenir de David.

Question stupide : et si c'était lui sur ce bateau plutôt que Mark ? Aurait-il aimé ou détesté cette aventure au Laos ? Nous n'avions connu que le voyage facile, pas l'aventure. L'aventure, elle avait commencé pour moi en quittant Montréal. Aventure modeste d'ailleurs, car l'apprentie voyageuse que j'étais n'était ni hardie ni solide. L'aventure, elle avait pris corps avec Hans et j'y avais pris goût. Sourire intérieur. À bien y penser, entraîner Mark dans le même genre d'aventure tenait presque du guet-apens. Je savais, j'avais toujours su, mais refusé de me l'avouer, que l'homme de Montréal n'était pas différent de celui du Mékong. J'avais fait semblant de ne pas le savoir, par lâcheté, parce que je ne voulais ni me poser de question ni trouver de réponse. J'avais aimé vivre dans sa bulle confortable, étanche aux intempéries, mais c'était parce que cela ne troublait pas la mienne, n'entamait rien de ma sérénité. Nos vies se croisaient, l'espace d'un instant, dans le meilleur de ce qu'elles avaient à nous offrir. Elles s'effleuraient. Sans plus!

Mark a les yeux fermés. Le moine fait silence. Est-il avec le moine? Médite-t-il? Dort-il? Est-il avec moi? Loin de moi? Et moi, suis-je avec lui ou avec un autre? Suis-je ici ou ailleurs sous ce ciel d'azur? Et jusqu'où suis-je disposée à me rendre avec cet homme? Mon maquillage a pris, l'air de rien, la poudre d'escampette à Paksé. Et puis, depuis peu, j'ai une jambe. Une jambe qui se rappelle à mon bon souvenir, se fait sentir un peu plus chaque jour : inconfort des moyens de transport, manque de repos, fatigue accumulée. Je souffre en silence. Jusqu'où faut-il que je garde le silence sur cette souffrance? Jusqu'où faut-il qu'elle se rende pour me faire admettre que la discrétion de Mark s'appelle de l'indifférence? Jusqu'à quand vais-je croire que cette main qui ne se tend jamais, comme à jamais refusée, m'offre une vie de bonheur? Pour quelle raison un futur époux voudrait-il tout ignorer du passé de son élue, y compris ce qui lui a laissé des marques indélébiles sur le corps? Pourquoi une future épouse serait-elle également si discrète? Depuis toujours, Mark et moi agissions comme si nous n'avions ni l'un ni l'autre de passé. Pourtant, une femme et un homme de notre âge ont forcément un passé! Ce peu de curiosité l'un pour l'autre, ce peu d'empressement à nous raconter ne m'avaient pas troublée à Montréal. Sur le Mékong, ils me devenaient plus suspects chaque jour.

L'indifférence…

91

Se pourrait-il qu'un jour, le fil entre nous se rompe? À cause d'un rien : un geste en moins, une mine boudeuse, une remarque un peu sèche, un regard sans tendresse. Se pourrait-il qu'un jour, je regarde cet homme comme on regarde un inconnu, en me demandant comment j'avais pu l'aimer, à quel charme j'avais pu succomber? Pas une fibre de mon corps ne se mettrait à vibrer et je me dirais, étonnée : « Et cet homme a été mon amant! » Sans haine et sans amour, j'aurais atteint le détachement.

L'oubli. L'oubli possible, malgré l'amour fou, la passion. Mais pas l'indifférence.

Une nuit, peu après sa mort, j'avais rêvé que je cherchais David. En vain. Tous les hommes lui ressemblaient, aucun n'était lui. Je m'étais réveillée en larmes. Une autre fois, il était si proche que j'aurais pu le toucher, mais il s'était éloigné quand j'avais crié son nom. Plus tard enfin, il m'était apparu sans visage, tronqué, transparent, sans substance. J'avais pleuré à n'en plus finir, en proie à une tristesse indicible dont seuls le réveil et le réconfort de Hans m'avaient tirée. Je m'étais dit alors que si je rencontrais David dans la rue, je ne le reconnaîtrais sans doute pas.

De l'amour, que reste-t-il quand on oublie?
La fête des corps, mais pas l'indifférence.
De Hans, il me restait aussi la tendresse.

Il m'arrivait de rêver de Hans. Souvent. Toujours le même rêve. Je courais un danger, je fuyais. Hans arrivait, me tendait la main et je m'envolais avec lui, légère, heureuse. Hans, mon sauveur, avec ses longs cheveux blonds, sa tunique blanche, sa main tendue vers moi!

Je ne rêvais jamais de Mark, et quand je pensais à lui, comme en cet instant où, si proche, il était si lointain, c'était sans passion, sans tendresse! Penser à lui, dans cette pirogue, dans le bruit fracassant du moteur, c'était penser à mon désir d'un corps d'homme. Une histoire de lit, agréable, confortable, qui se terminerait par un mariage raisonnable. Le désir d'un beau corps d'homme lié au désir d'une vie stable. Un mariage où, pensais-je, se combineraient l'essentiel de nos valeurs, la recherche de la paix, de la sérénité. J'avais fait erreur.

Avais-je osé penser que jamais plus je ne souffrirais? Quelle ironie! Je souffrais déjà. À Luang Prabang, la nostalgie m'avait effleurée. À Vientiane, le doute m'avait taraudée. À Paksé, mon corps se rebiffait. Ma douleur, omniprésente et muette, restait intangible, invisible pour l'Autre. L'Autre qui avait pour nom Mark et descendait le Mékong, les yeux clos sous son chapeau.

Deux heures de pirogue.
Le moteur piaffe d'impatience.
Champassak s'étiole sur la rive.

De cette ancienne capitale du royaume du même nom, de l'époque de sa gloire qui dura quatre cents ans et se termina à la fin du dix-huitième siècle, il ne reste rien. Ses quelques belles villas rongées par la poussière et l'humidité datent du protectorat français. Nous ne ferons qu'y passer. Notre destination est le Vat Phou, le Angkor du Laos. Pas commode de s'y

rendre. Pas de bus, pas de taxi, pas de moto, pas de vélo !
Le temps d'acheter une bouteille d'eau dans la boutique du village et la pétarade de motos-taxis se fait entendre. Qui les a prévenus ? Nul ne le sait. Quelque dix kilomètres en aval sur le fleuve, nos chauffeurs nous déposent au bas d'une colline, devant un immense champ de bouteilles et de sacs de plastique où se promènent des vaches. La veille, dix mille pèlerins se pressaient en ce lieu saint avant d'y laisser, en témoignage de leurs dévotions, cet affligeant spectacle.

Ce *vat* est un ensemble de bâtiments disposés symétriquement de part et d'autre d'une allée qui mène à un escalier. La chaleur est torride. La sueur dégouline dans mes cheveux, coule sous mon chapeau. Je redoute la montée, mais rien ne saurait me retenir au pied de cette pente !

Difficile ascension. Marches usées, trop hautes, cassées, disparues. Monter vers la divinité est un exercice réservé aux purs et aux durs ! Quitter les miasmes de notre pauvre civilisation, atteindre ou tenter d'atteindre quelque chose de plus haut, de plus beau, de plus pur, est une épreuve certaine. Les anciens ne s'y trompaient pas, lorsqu'ils situaient leurs lieux de culte sur les hauteurs.

En haut, une fois qu'il a franchi la voûte de frangipaniers en fleurs, le souffle court et les joues écarlates, le pèlerin découvre, ultime récompense de son effort, un panorama à couper le souffle : l'immensité de la vaste plaine du Mékong, dont le paresseux ruban couleur d'argent s'étire au loin.

À demi ensevelis dans la végétation, les temples, en bien piteux état, offrent un curieux mélange de bas-reliefs représentant Shiva ou Vishnou — divinités hindouistes des Chams qui régnèrent en ces lieux —, et de statues modernes — hélas quelconques — de bouddhas, divinités plus récentes! À flanc de montagne coule une source où l'on se rafraîchit sans en boire l'eau! Plus loin, sous la verdure, d'autres ruines attendent de voir le jour, ne le verront peut-être jamais, faute de moyens. « Rien à voir avec Angkor », disent Antonio et Mireia, qui en reviennent. Une enfant en haillons nous précède sur les sentiers. Elle connaît tout des ruines, qu'elle nous montre en souriant sans rien attendre de nous. Si : nos bouteilles d'eau presque vides, que nous lui laissons. Elle m'offre une fleur de frangipanier. Générosité qui me touche.

La descente est périlleuse. Je demande sa main à Mark. Il a l'air étonné, me la tend sans un mot. Je peine. Dans la plaine, il fait encore chaud malgré l'heure tardive. Sur le rivage, Champassak prend le frais. La journée de travail est finie. Le bateau-bus ne passe plus. Qu'à cela ne tienne! Mark et Antonio négocient notre retour vers Paksé avec des pêcheurs. Notre bonne humeur nous tiendra lieu de bouée dans notre joujou nautique. Assis à même la planche qui en constitue le fond, genoux au front, fesses talées, respiration en suspens, nous en avons pour deux heures de patience, d'immobilité presque totale. Tout nous paraît menacer le fragile équilibre de notre coque de noix. Je savoure le souffle du vent sur mon visage, me grise du spectacle des pirogues ancrées en plein fleuve. Des pêcheurs, souvent de très jeunes hommes au corps superbe, jettent ou ramassent leurs filets avec grâce. Leur sens de l'équilibre m'émerveille, me rappelle les arabesques de mon passé… et la souffrance de ma jambe, exacerbée par l'impossible posture dont je ne peux la tirer. Sur la berge, hommes et femmes ramènent aussi leurs filets. Partout des cris d'enfants nus qui se baignent.

« Bonheur simple et tranquille », disait un poète.

Bonheur simple et tranquille : vivre l'instant présent, sans nostalgie du passé, sans crainte de l'avenir. Le vivre intensément, l'accepter dans toute sa force, sa joie, sa souffrance, puisque rien ne dure, puisque tout passe. Comme ma vie de danseuse, comme ma vie d'amoureuse, comme la brillante civilisation de ces Chams. Impermanence des êtres, des choses, des relations, des civilisations, qui disparaissent en ne laissant que de rares traces à peine visibles, même pour qui tente de les voir.

« Dans un mois, dans un an », Mark, qu'en sera-t-il de nous ?

⌘

Destination : l'extrême sud du Laos.
Le sud du sud, toujours plus au sud.
Au bout du voyage, une île, un mythe…

Sept heures du matin, embarcadère de Paksé.
Pluie du matin, légère ondée, n'arrête pas le pèlerin.

Nous avons pris place dans un bateau dont nous doutons, nous les Occidentaux, et de l'heure du départ et de la destination. Le but est de descendre le Mékong jusqu'à la frontière cambodgienne et les Mille Îles laotiennes. Quand ? Officiellement, à huit heures ; officieusement, quand le pilote le décidera. Petit à petit, les passagers s'entassent : les étrangers sur la natte à l'arrière du bateau, les gens du cru à l'avant. Combien sommes-nous ? Difficile à dire. Les marchandises s'entassent, comme les gens. Les plus jeunes montent sur le toit, jamais les femmes, qui seraient alors en position de supériorité par rapport aux hommes. L'heure du départ est dépassée. Les étrangers le savent à leur montre, qu'ils consultent sans cesse, le regard de plus en plus impatient. Le moteur est silencieux, même si l'usage veut qu'on le laisse tourner une demi-heure avant le départ. Quand enfin le pilote se décide, l'odeur du diesel empuantit l'air, mais personne ne s'en offusque. Le bateau s'éloigne de la berge. Faux départ. Retour au bercail. Pour charger quelques cochons. Portés à pleins bras, ils couinent de frayeur. Nouveau départ. Le bon, cette fois.

Le paysage défile. Le bateau est conduit par un coq. Du moins, on pourrait le croire, le pilote étant à l'arrière et le coq, cocorico en sus, en figure de proue.

Mon corps vibre au rythme du moteur et mes oreilles s'abrutissent de son vacarme. À Champassak, nous larguons les visiteurs du jour. À nouveau, le vacarme et l'air frais sur nos visages. Deux heures plus tard — du moins à ce qu'il me semble, puisque je ne porte pas de montre —, une barque nous aborde et nous livre une femme et son bagage. C'est à peine si nous nous arrêtons. Quelques heures encore et des maisons apparaissent. Un petit groupe descend, dont une femme, qui s'abrite derrière un bateau posé sur le sable, tire discrètement sur sa culotte, s'accroupit, se relève, se tortille presque avec élégance dans son sarong pour rajuster sa culotte, remonte dans le bateau. Nous, pauvres Occidentaux, nous avons oublié notre vessie depuis le départ. À l'arrêt suivant, un vieux monsieur descend et se soulage sur une clôture.

J'ai fermé les yeux un long moment. Je ne sais plus où je suis. Le bateau a accosté. Il me faut un effort pour deviner dans quel sens il va. Je me repère au soleil. Il n'est plus du même côté du bateau, mais de l'autre, du côté de la Thaïlande, à l'ouest. Il est donc passé midi. Aucune agitation sur la natte, à l'avant. Tout le monde somnole. À l'arrière, chacun a l'œil sur sa montre. L'Américain assis à mes côtés — il porte un chapeau comme celui de Mark — me demande à quelle heure nous arrivons. Aucune idée! Si, comme on nous l'a dit, ce voyage dure neuf heures, nous arriverons, au mieux, à dix-huit heures. Pas avant. Il fera nuit. Nous ne pourrons pas traverser l'île comme nous l'avions prévu. Il nous faudra chercher une *guest-house* près du débarcadère. Comme nous sommes nombreux, il ne sera pas facile de trouver des chambres, mais, *don't worry*, tout va s'arranger.

Nous avons mangé nos bananes, nos mandarines, notre baguette de pain, notre Vache qui rit. Nous n'en pouvons plus de contempler les berges du Mékong, les cabanes de bambou, les femmes qui lavent leur linge ou leurs enfants, grimpent pieds nus la rude côte. Nous n'en pouvons plus de ce silence intérieur auquel se mêle le vacarme du moteur, de ce plancher si dur pour nos fesses. Du moins c'est ce que nous dit notre mental, habitué à plus de confort. Celui des Laotiens ne leur dit rien sans doute : ils sont calmes et souriants.

Il est presque dix-huit heures — Mark a regardé sa montre — quand le pilote pointe la rive du doigt. Done Khong. Mark fait signe que non, nous ne descendons pas ici. Nous allons plus loin, au sud. Je n'en reviens pas ! Les Espagnols, l'Américain et les autres non plus. D'où lui vient son savoir ? Il indique sur la carte, pourtant très imprécise, où il pense que nous sommes. *Don't worry.* Advienne que pourra ! Que pourrait-il nous arriver de pire que de coucher à la belle étoile sur la rive du fleuve ?

Notre petite troupe est la dernière à quitter la pirogue. Le lieu où nous débarquons n'est rien d'autre que cela : un débarcadère, trois ou quatre cabanes, des villageois qui vaquent tranquillement à leurs occupations sans un regard pour nous. Pas la moindre *guesthouse* en vue, mais une moto-taxi surgie de nulle part, comme par miracle, et qui semble savoir où nous mener. Gens et bagages s'entassent tandis que le soleil tombe au loin, à l'ouest. En quelques minutes, la nuit nous rattrape et nous engloutit. Mais tout est bien qui finit bien, comme si tout avait été prévu, organisé pour nous. De l'autre côté de l'île, un gîte nous attend, un repas aussi!

Ce soir-là, je me suis dit que la vie était comme ce voyage en pirogue. On embarque, mais le départ tarde. On démarre enfin, mais sans savoir où va le fleuve, ni s'il sera tranquille, ni quand il faudra le quitter. Pour certains, ce sera tôt, pour d'autres, tard. Il suffit de peu de chose pour que ce soit trop tôt. Petit à petit, le fleuve s'apprivoise. Notre esquif, rassurant, nous entraîne toujours plus loin, encore plus loin, entre silence et vacarme, nuit et clarté, calme et tempête. Quand sonne l'heure où débarquer, au bout du fleuve, aux frontières de l'inconnu, le sol tangue sous nos pas. À peine quittée, la nacelle familière nous manque déjà. Devant : l'obscurité, la nuit, l'inconnu. Dedans : la peur, l'angoisse, fugace, légère, réelle.

Qu'il est difficile de faire tout simplement confiance au destin!

❧

Done Khong. Île de touffeur plate, jaune, brûlée, suffocante.

Chaleur accablante. « C'est en novembre qu'il faut venir ici, nous dit un homme des lieux. La mousson est finie et les rizières sont vertes. » Qui aurait cru qu'il pouvait faire si chaud dans ce coin de pays! Au beau milieu du Mékong! Nous souffrons sans nul doute des effets conjugués de la fatigue, du voyage et de nos réveils en fanfare.

Premier réveil. En pleine nuit. Des buffles en promenade nocturne rasent les murs et jouent de leurs clarines, comme de braves vaches suisses dans leurs verts pâturages. Mark les chasse d'un éclair de sa lampe de poche : l'électricité n'est pas encore arrivée à Done Khong.

Deuxième réveil. Le marché tout proche caquette. Le soleil n'a pas même fait son apparition.

Troisième réveil. La matinée est déjà bien entamée. Nous déménageons dans un autre gîte. Notre amour de chambre donne, d'un côté, sur un jardin planté de cocotiers, de l'autre, sur la salle à manger, largement ouverte sur une terrasse et le fleuve. Une génératrice fournit l'électricité pour le repas du soir.

Chaleur accablante. L'enfer s'est emparé de ma jambe. Pas question de se reposer sur la terrasse, près du Mékong! Notre emploi du temps l'interdit. Le temps passe. Trop vite. Il faut se rendre au bout du voyage. Tant pis pour la jambe. Destination : le sud, le sud du sud, ce sud qui, comme l'horizon, fuit toujours plus loin à mesure que l'on avance!

Chaleur accablante. La pirogue erre dans un espace chaotique, suffocant, d'eau et de verdure. Le temps s'efface, s'arrête. Mes repères s'estompent dans un flou total.

Chaleur accablante. Du côté ouest du Mékong, côté Cambodge, zone de mystère, jungle impénétrable, où se cachent d'insaisissables fantômes. En 1975, à peine les Américains avaient-ils évacué Phnom Penh que le pays entier plongeait dans l'horreur. En quelques heures, les troupes de Pol Pot vidèrent la ville de ses habitants et les envoyèrent travailler dans les rizières. Maltraités, torturés, affamés et finalement exécutés au bord de fosses communes, deux millions de malheureux périrent, dont le seul tort était d'être des artistes, des danseuses (dans la tradition des gracieuses *apsaras* sculptées sur les bas-reliefs d'Angkor), des oisifs, des intellectuels, des professeurs. Ou tout simplement des citadins à lunettes... Une fois la monarchie cambodgienne restaurée, les Khmers rouges et leur chef trouvèrent refuge dans le calme trompeur de l'enfer vert à portée de ma main.

Pas un chant, pas un cri.
Nul mouvement, nulle rumeur.
Le silence.
L'inconnu, la peur.
Le chaos, la mort possible.

Chaleur accablante. Du côté est du fleuve, côté Laos, grouille la vie. Ici et là un pêcheur qui jette ou ramène son filet. Plus loin, un débarcadère, quelques échoppes, des femmes et des hommes. Il faut louer des motos pour se rendre aux chutes du Mékong. Nous partons tous, les Espagnols, Mark et, enfin, moi, à la queue leu leu. Nos conducteurs nous épargnent du mieux qu'ils le peuvent les bosses et les trous de la piste. Premier arrêt à de petites chutes, dans l'île de Khône. Marche d'une demi-heure dans la jungle pour découvrir un pont détruit ou à demi-construit, une locomotive ensevelie sous le feuillage, témoignages de grands rêves jamais aboutis, ou disparus avec la fin du protectorat français. Deuxième arrêt aux grandes chutes, site sauvage, magnifique, perdu aux confins du pays. L'eau coule de partout, s'engouffre avec fracas dans de multiples gorges et disparaît plus loin, vers le Cambodge.

Un kiosque, au bout de ce chemin du bout du monde ! Amusant et inattendu ! Peut-être un lieu de promenade où écouter une fanfare au temps des Français ? Un autre kiosque, qui tient lieu de buvette. Une jeune femme, machette à la main, y tranche des papayes vertes. Salade rafraîchissante au goût nouveau, noix de coco en guise de boisson. Mark ne mange pas, ne boit pas. Il a vu que la jeune fille lave les assiettes dans l'eau du fleuve. Moi je mange ! Je savoure autant le repas que l'ombre et le bruit de l'eau qui éclate sur les rochers. Vie simple et tranquille à deux pas de l'enfer vert. Les arbres, par-dessus les toits, bercent leurs palmes dans un ciel d'azur tranquille, aussi tranquille que mon cœur, malgré Mark et son air maussade. Au bout du monde, j'ai l'âme à la poésie. Difficile de croire que d'ici quelques années, de ce côté-ci du fleuve, une route, une autoroute — dont on voit le tracé — amènera ici, directement de Paksé, des hordes de visiteurs, et que les poteaux qui la flanquent conduiront l'électricité au casino qu'un farfelu songe à installer ici!

Chaleur accablante. Sieste du retour, chacun dans notre petit lit. Rires d'enfants à mon réveil. Rires joyeux, heureux, que je m'attarde à écouter, qui vibrent en moi. Où trouver ailleurs qu'ici des enfants qui jouent aussi longtemps sans cris, sans disputes? Des enfants qui jouent sans jouets et ne regardent pas la télévision? Des enfants aussi affreusement gâtés, non par une pléthore de biens matériels, mais par les soins, la présence, l'affection d'une grande sœur, d'une aïeule ou d'une maman qui les dorlote, les cajole, les endort dans ses bras, les porte sur son dos jusqu'à ce qu'ils sachent marcher.

Toute médaille a son revers cependant, car trop vite, à peine sortie de la petite enfance, une fille a les responsabilités d'une femme. Pourvoyeuse, gagne-pain, gardienne, la fillette travaille dur, ne mange pas toujours à sa faim et ne va pas à l'école. Que serait devenue Seng Soukh si elle était restée dans son pays? Jamais, j'en suis convaincue, elle ne serait devenue coiffeuse, avec pignon sur rue; jamais non plus elle n'aurait travaillé dans un hôpital. Aurait-elle été la tisseuse entrevue dans une sombre et insalubre cabane au sol de terre battue, près de la plaine des Jarres? Aurait-elle été la repiqueuse de riz, ployant sous son chapeau conique, les pieds dans l'eau boueuse, telle qu'on la voit partout en Asie? Aurait-elle été cette paysanne dont le mari parti gagner sa vie en Thaïlande, comme je l'ai lu dans le journal de Vientiane, ramène le sida dont elle infectera l'enfant à naître? Aurait-elle été la prostituée d'une plage de Thaïlande, comme tant de jeunes filles, simplement pour survivre? Si mon voyage au Laos ne m'avait apporté que cette réponse-là, cela en aurait valu la peine. Je suis satisfaite, je sais : Seng Soukh, ma précieuse amie, est mieux au Canada ; mon cœur de femme me le dit.

Autre question, qui attend une réponse : que me dit mon cœur de femme à propos de l'homme qui dort non loin de moi?

✧

JE N'AURAIS PAS DÛ aller si loin ; ce n'était pas nécessaire.

La lune s'était levée tôt au-dessus des montagnes. Elle avait aspergé les eaux du fleuve de paillettes dorées. Moment de grâce que, d'un coup de baguette magique, on voudrait fixer à jamais dans le temps. Sur la terrasse, dans la nuit qui nous baignait d'une bienfaisante fraîcheur, j'aurais voulu me blottir contre Mark, lui dire que je l'aimais, que nous avions de la chance de partager cet instant merveilleux. Impossible !

Autrefois, quelque part, j'avais aussi contemplé le firmament constellé d'étoiles avec un homme. Allongés dans l'herbe, par une chaude nuit d'été, nous nous étions fondus en lui tandis que la terre vibrait sous nos corps. Au cœur du monde, nous ne faisions qu'un avec lui. J'aimais cet homme. Il m'aimait. Nous nous sommes aimés ce soir-là jusqu'aux larmes de l'extase, en silence, dans une intense communion avec la nature. Immense cadeau que nous nous faisions, le dernier aussi ! Trois jours plus tard, David était mort.

Sur le bord du Mékong, la magie du partage n'était pas au rendez-vous. J'admirais seule les étoiles avec, pour toute compagnie, mes douloureux souvenirs et un corps douloureux. Mark, le dos droit, les yeux fermés, ne regardait rien. Seul, lui aussi.

Plus tard, dans la chambre, un dernier rire d'enfant avait jailli sous la terrasse. Négligemment, j'ai dit que j'étais tombée amoureuse de tous ces enfants laotiens, que tout était beau chez eux, leurs yeux, leur visage, leurs cheveux, leur agilité. Leur gentillesse, leurs rires, aussi.

« J'aimerais ça, un enfant… » ai-je ajouté.

Mots incongrus. Effet de bombe ! L'air s'était fait plus lourd, plus dense dans la pièce. Surpris, Mark avait figé. C'était une blague ? Non. D'où me venait ce soudain désir d'enfant ? Du voyage, sans doute. Voyager, c'est cela : aller aux frontières de soi-même et même un peu plus loin, aux confins de l'obscur, de l'ombre. Les frontières du connu, nous y étions. Il avait fallu tout ce chemin, ces autobus tape-cul, ces bateaux à fleur d'eau, pour que le désir d'enfant me surprenne ainsi, au bout du monde, dans cette île à la chaleur infernale ! Mais enfin, jamais il n'avait été question d'enfant entre nous ! Non, bien sûr. C'est justement pourquoi je voyais en cette envie les effets secondaires du voyage, car voyager, n'était-ce pas, en dépassant ses limites, rompre ses amarres ? Sèchement, Mark avait répondu qu'il n'avait pas besoin, lui, de rompre ses amarres, qu'il était très bien comme il était. Mais les autres femmes de sa vie, jamais elles n'avaient songé à un enfant ? Parlé d'un enfant ? Si, c'est pourquoi elles n'étaient restées dans sa vie que l'espace d'une saison. Alors moi, pourquoi m'avoir proposé le mariage ? Justement, à cause de l'enfant. Celui que je n'aurais jamais. Et son amour pour moi, dans tout cela, où était-il ? Mais il était là, dans notre bonheur tranquille, notre recherche de sérénité, dans le yoga, la méditation, là-bas à Montréal. Pourquoi venir chercher Bouddha-seul-sait-quoi au fin fond du Laos ?

Onde de colère qui sourd dans mon ventre et le crispe ! Non ! Pas ça ! Respirer, ramener l'air dans ma poitrine, dans ma gorge nouée. Être à la hauteur de la situation. Trouver dans cet instant la consécration de toutes mes années d'efforts! Comme si mon corps et mon esprit se dissociaient, je nous observai, disséquai nos paroles, nos gestes, nos regards. Notre calme, notre absence de passion était, j'en convenais, le fruit de notre travail et de notre pratique. J'en venais pourtant à la conclusion que quelque chose nous avait échappé dans notre relation et que ce quelque chose s'appelait l'amour. L'amour, tout comme la communion, en était absent, en dehors de la rencontre parfaite, mais éphémère, de nos deux corps dans l'acte charnel. L'amour, je l'avais toujours su, était l'union de deux pensées, de deux âmes, sous le halo d'une lampe ou le regard des étoiles, deux silences de connivence dans un bien-être qui se passe de mots pour le dire. Tout cela, je l'avais connu autrefois. Avec David. Avec Hans. Malgré tout ce que nous avions pu faire ensemble, Mark et moi étions restés deux étrangers l'un pour l'autre. Triste constatation, mais ô combien utile!

Il avait fallu atteindre l'extrême sud du Laos, la chaleur infernale de cette île du bout du monde, le point de non-retour qu'on ne transgresse qu'au prix du crime et du chaos, pour qu'enfin tout cela me paraisse clair.

Non, ce n'était pas un voyage pour rien!

❧

Done Khong, pour moi seule.

Chaleur implacable. Mark était parti. De l'autre côté de l'île, là où, au milieu du fleuve, nagent d'improbables dauphins blancs, une espèce en voie d'extinction, selon notre guide. Deux heures de bicyclette, deux heures de marche sur les sentiers qui bordent les rizières, une expédition au-dessus de mes forces.

Nous nous étions couchés sans plus parler d'enfant ou de voyage. Une fois la chandelle éteinte, il avait dit qu'au petit matin, il irait aux dauphins avec les Espagnols, qui voulaient absolument tenter leur chance! J'avais dit que je resterais à l'hôtel, que j'avais besoin de repos. Dans l'obscurité, j'avais souri à l'idée que, le soir venu, comme tout le monde, tous les jours, sur la terrasse, Mark s'exclamerait, dans le même souffle que les autres, qu'il avait vu les fameuses bestioles!

Chaleur implacable.
Silence autour de moi.

Le Mékong coule, sans histoires, sans états d'âme; même si au nord se construisent ponts et barrages, même si au sud et à l'ouest se cachent des assassins; même si tous ses pays riverains se disputeront tôt ou tard son eau, ses poissons; même si un jour peut-être, son delta vietnamien sera privé des trois récoltes de riz par an qui lui assurent nourriture et richesse; même si, dans ce lointain Tibet où il prend sa source et qu'occupent les Chinois, des hommes, des femmes, des enfants luttent pour retrouver leur terre et leurs droits les plus fondamentaux; même si, venu des

111

plages de Thaïlande et se riant des frontières, le sida se propage, infecte et tue des innocents, qui ne savent pas de quoi ils meurent.

Chaleur implacable.
Silence en moi.

« Peu importe où je vais, c'est toujours l'enfer puisqu'il est en moi* », disait le Satan du poète Milton. L'enfer! J'avais rêvé cette nuit-là. Sur la terrasse, Mark, tout sourire, se penchait vers Mireia; les deux me narguaient, riaient, tendaient vers moi un doigt moqueur. Furieuse, je leur lançais un verre de bière au visage. Je m'étais réveillée en sueur, le cœur en folie. Mark dormait paisiblement. Grand corps mince, musclé, beau... Égal à lui-même. Je l'avais regardé, comme on regarde un inconnu dont la présence vous paraît incongrue. Je m'étais levée dans le noir. Sur la terrasse, la fraîcheur m'avait apaisée. Patiemment, dans un souffle égal et détendu, j'avais dénoué les nœuds de mon corps. Comme dans un éblouissement, je compris qu'il me faudrait lutter pour ne pas laisser l'enfer s'emparer de moi.

Chaleur implacable.
Enfer dans ma jambe.

Aurais-je voulu, au fond, que Mark reste à mes côtés? L'enfer naissait-il en moi de l'indifférence d'un homme? D'un surplus de fatigue? Reste que ce que j'appelais l'indifférence de Mark commençait à me peser, il fallait me l'avouer. Froideur, égoïsme, discrétion, indifférence? Qu'importait le nom donné à ce qu'il me

---

* Traduction libre de l'auteure.

montrait de lui ? Et la peur… Montrait-il sa peur de la souffrance ? La mienne, que j'avais jusqu'ici bien dissimulée dans la routine quotidienne du droit et plat chemin, mais qui se dévoilait au fil du voyage, des falaises escarpées, des routes défoncées. La sienne. La peur de souffrir de la souffrance de l'autre.

Il avait fallu tout ce voyage pour découvrir cela. La femme de Montréal, élégante et raffinée, celle qui avait plu à Mark, qui l'avait charmé, avait disparu. La femme du Mékong avait renoncé à se maquiller, à chercher un coiffeur, à mettre ses jolies toilettes. Elle avait retrouvé l'essentiel, mais elle avait perdu l'allégresse. Car où était l'amour dans tout cela ? Julie avait aimé David, Allegra avait aimé Hans, c'était certain. Le premier était parti, Allegra avait laissé partir le deuxième. Quant à Mark, elle ne savait plus ! L'avait-elle aimé ? Avait-elle fait plutôt semblant d'y croire ? Et l'enfant, cette création de l'ombre, servait-il de prétexte, non pour mettre son amoureux à l'épreuve, mais pour rompre avec lui ?

Ombre de la chambre.
Enfer dans la jambe.

Mon corps sait, avant moi, quand l'effort est trop grand, la tension trop forte, la fatigue trop intense. Il m'annonce, d'une flèche décochée de la hanche aux orteils, que le temps est venu de le reposer, de lui administrer onguents et calmants pour apaiser la folie répandue telle un venin dans ses moindres recoins. D'habitude, je l'écoute assez tôt. Dans la touffeur de l'île, c'était trop tard. Il vibrait, comme les cordes d'un violon exacerbées par l'invisible archet d'un invisible musicien devenu fou. La mélodie s'était faite chaos, l'allégresse, tumulte. Impossible de laisser mon corps m'échapper de la sorte.

J'ai longtemps entendu dans mon jeune âge, plus encore dans mon âge de danseuse, qu'il ne fallait pas s'écouter, qu'il fallait être fort et dur, dompter son corps pour qu'il danse. Ce message a retenti dans mon oreille jusqu'à ce qu'enfin je comprenne que, désaccordé, ce délicat instrument de musique se met à grincer et qu'il est temps de changer quelque chose dans le jeu de la main, de l'esprit.

Méditer. Ramener doucement le souffle au rythme de l'*Adagio* d'Albinoni. Faire taire dans ma tête les pensées qui l'agitent : Mark sur la jarre ; Mark qui file devant ; Mark qui ne mange pas ; Mark qui se ferme sitôt l'amour fini ; Mark… Non. Rien. Laisser aller Mark. Accueillir, puis laisser aller toute pensée. Accueillir, puis faire taire l'émotion qui l'accompagne. Mark, encore. Petit pincement au cœur. Un nom sur ce pincement : frustration, colère, ressentiment. Non. Rien. David, chape de plomb qui me tombe sur les épaules et qui s'appelle tristesse. Goût de larmes. Hans, éventail de couleurs joyeuses, souffle d'air frais. Sourire. Non. Rien. Oublier les hommes de ma vie. Regarder, sans les voir, les enfants, le Mékong. Entendre, sans y prêter attention, le rire des enfants du Mékong. Le faire ruisseler sur moi. En cascade. Comme l'eau du Mékong. Douce et chaude comme une pluie d'orage à Bali. Eau qui éteint le brasier de ma jambe, fait chanter les cordes du violon à l'unisson. Je suis bien. Enfin.

J'ai dormi. D'un sommeil empêtré de rêves. Mark est devant moi. Impossible de le rattraper. Il marche trop vite. Hans me tend la main, me guide sur un sentier entre les rizières. Un enfant sourit, une fleur de frangipanier à la main. Nous sommes vêtus de blanc, couverts de fleurs. Mark a disparu. Il me semble que Hans est là quand je me réveille, qu'il me masse, qu'il me soigne comme il l'a fait tant de fois. La vérité commence à se faire jour. Ma vérité, du moins. J'étais venue bien loin pour la trouver, mais ne l'avais-je pas toujours sue?

C'est au bout du chemin que tombent les masques.

Le mien d'abord. Je n'étais pas exactement la femme que Mark avait connue et voulue, pas cette adepte de yoga, apparemment sûre d'elle, autonome, toujours en pleine possession de ses moyens. Allegra savait certes être heureuse, dans sa solitude, mais elle voulait tendresse et compassion de l'homme qui disait l'aimer. Autonome peut-être, mais aussi prête à accepter une main tendue. Quant à son calme, à sa sérénité, il arrivait qu'ils soient tenus en échec!

Le masque de Mark. L'homme du Mékong était le même que celui de Montréal. Sûr de lui, aimable, galant même. Mais égocentrique. Si, de son propre aveu, il cherchait dans la pratique du yoga à se corriger d'habitudes, de manières qu'il trouvait détestables, dans les situations difficiles, son humeur morose, boudeuse, son impatience et sa froideur refaisaient surface. Ni la méditation ni le yoga n'y pouvaient quoi que ce soit.

Au bout du voyage, Allegra n'en pouvait plus. Rien finalement n'est plus difficile à accepter que la différence de l'Autre, même si celui-ci a droit à cette différence! J'en avais assez de cette différence, j'en avais fait le tour.

L'impatience et la bouderie de Mark, passe encore. Mais la différence qui a pour nom indifférence, non.

Le heurt d'idées, voilà qui est anodin, mieux, qui peut enflammer les discussions les plus intéressantes, les plus passionnantes. Bouddha versus le Christ, le Saint-Laurent versus le Mékong, le capitalisme versus le communisme ! La différence de goûts : flâner au hasard des rues plutôt que méditer dans une chambre, escalader une falaise plutôt que contempler le reflet de la lune sur l'eau, cela peut être déroutant, mais amusant. Par contre, manger du tofu plutôt que de la viande peut créer de véritables heurts, surtout si l'assiette, le couvert, paraissent d'une propreté douteuse. Mais le manque de générosité, de compassion à l'égard de l'Autre, voilà qui marquait, qui marque encore, pour moi, la limite de l'acceptable, le refus du compromis. Compromis impossible avec Mark. J'avais trop besoin d'une main tendue. Et cette main, Seng Soukh et Hans me l'avaient offerte sans même y penser !

Et puis, si j'étais morte à moi-même, un soir, sur une autoroute, si j'étais devenue Allegra à Borobudur, si Allegra avait retrouvé vie avec Hans, si elle avait poursuivi yoga et méditation, seule à Montréal, était-ce pour rien ? Pour faire marche arrière ?

Vivre avec Mark comme j'avais voyagé avec lui aurait signifié rayer d'un trait tout le chemin parcouru.

Erreur, j'avais fait erreur.

L'enfant du Mékong, l'enfant de mon désir soudain, c'était l'écueil final. Véritable désir ou non, cet enfant m'avait aidée. Les dés étaient jetés. J'avais voulu savoir, je savais. C'était cela, le but, la fin du voyage!

À qui la faute? Mais pourquoi parler de faute? S'il fallait trouver un coupable, ce serait sans doute les nuits trop courtes, les trajets épuisants, trop longs, la nourriture étrange, l'exiguïté des chambres, les aléas et l'inconfort des autobus, des avions, des bateaux; notre trop grande, trop longue, trop intime intimité; la terre desséchée, fendue, craquelée, d'où montent trop d'ondes de chaleur, et le paysage à bout de souffle qui attend la pluie salvatrice. Ce n'est la faute de personne. Pas celle de Mark, la mienne plutôt. En manigançant cet impossible voyage, me serais-je prise pour Dieu La Mère?

Récriminations inutiles. Il fallait que nous perdions toute notion du temps, de la distance, que s'estompent nos repères habituels, au fil du Mékong, pour que nos amours arrivent au bout de leur histoire.

J'ai marché le long du fleuve. Penchée sur l'eau, j'y vis mon reflet, fragmenté, éclaté, comme les morceaux éparpillés d'un casse-tête. Il me suffit de me déplacer légèrement pour qu'il me revienne, parfait. Tout allait bien, tout irait bien.

Comme je l'avais prédit, la petite troupe des chasseurs d'images et de dauphins rentra, exténuée mais comblée, en fin d'après-midi.

Les dauphins blancs avaient été au rendez-vous.

∽

Done Khong.
La journée avait langui sur la terrasse.

J'avais accueilli les nouveaux, arrivés de la veille. C'est amusant comme quelques heures d'avance sur un périple font de vous un initié! J'avais tout raconté des chutes, des balades en bicyclette, de la visite aux dauphins blancs. Ils s'étaient plaints de l'interminable voyage sur le fleuve, de la chaleur accablante, de l'envie qui les tenaillait de repartir tout de suite vers la civilisation.

J'avais bavardé avec une Française de Provence. Elle et son mari terminaient un périple d'un mois au Laos. Ils prenaient une journée de repos avant de filer le lendemain sur Bangkok et la Birmanie. Ils y passeraient un mois. Deux mois loin de la Provence? Trop froide pour eux en hiver, la Provence. Que dirait-elle de l'hiver canadien? Pas sa tasse de thé! Et le camping au fond des bois, sur un lac gelé? Encore moins! Non, il lui fallait de la chaleur, elle ne lui faisait pas peur! Quand on est restauratrice à Cassis, la chaleur, comme au Laos, ça veut dire touristes et bonnes affaires, *bonne mère*!

Mark était parti au lever du jour. L'excursion à bicyclette s'était décidée au repas du soir, dans un élan du groupe qu'avait soudé la visite aux dauphins. Avec ses nouveaux compagnons, Mark avait retrouvé le sourire, son air charmeur, surtout auprès des femmes. Nous nous étions à peine parlé. J'en avais profité pour observer, l'observer, nous observer. Sans émotion. Pas de colère, pas de peur, pas de frustration, pas de désir particulier. Rien, le détachement. Mark ne m'avait même pas demandé si je voulais faire le tour de l'île. Peut-être espérait-il que je ne serais pas du groupe!

Nous nous étions couchés chacun de notre côté, dans notre lit étroit, de même que la veille et bien d'autres veilles. Nous n'avions plus fait l'amour depuis Luang Prabang, comme si le désir était mort en chemin. J'avais écouté son souffle régulier dans l'obscurité. Combien de temps nous restait-il ensemble? Quand aborderions-nous enfin le sujet épineux de nos amours? Je n'avais pas de réponses à mes questions. Elles viendraient d'elles-mêmes, je le savais. Une chose était sûre : il fuyait et je fuyais. Nous conjuguions l'un et l'autre le verbe fuir à tous les modes! De fait, Mark, qui aimait méditer seul au début du voyage, semblait pris d'une énergie nouvelle qui le lançait sur tous les chemins. Et moi, qui naguère voulais tout voir, dans une frénésie de découverte, je recherchais aujourd'hui la paix et le calme. Je n'aimais rien de plus que de contempler le fleuve.

Il me vint à l'idée qu'après tout, je n'avais connu de Mark, à Montréal, qu'un aspect de lui, une illusion. Je m'avouai que moi aussi, je lui avais montré une illusion. Nous avions certes fusionné à de rares instants, dans la méditation ou l'amour, mais dans notre univers connu, familier, c'était encore une illusion. Il avait fallu ce voyage difficile pour qu'éclatent les illusions — simple question de nourriture, d'inconfort, de fatigue — et que chacun de nous retombe dans sa solitude originelle. Pas plus que sur le Mékong, à la frontière du Cambodge, il n'y avait entre nous de passerelle ou de pont. Voilà, nous n'étions plus l'un pour l'autre que des compagnons de voyage. Nous nous quitterions comme nous quitterions les Espagnols : « Ciao ! Ça a été sympa de se connaître, de faire un bout de route ensemble. » Et puis, nos chemins se sépareraient.

Kho Samoui, île de Thaïlande. Son nom avait chanté à nos oreilles, dans la froidure de notre hiver canadien, et nous l'avions imaginée paradisiaque, comme toutes les îles de soleil, joyaux de verdure sertis d'eaux turquoise. Nous avions projeté d'y terminer notre voyage. Hélas, il y avait un hic ! Je ne voulais plus prétendre y jouer aux amoureux. Au retour de Mark, je lui expliquerais mes doutes, mon malaise, mon désir de mettre un point final à notre voyage, à nos projets. Je voulais rentrer au pays, réfléchir, prendre du recul, décider de mon avenir et de celui de mon centre de retraite.

Done Khong serait une autre île où mourraient des amours. Avant, il y avait eu Santorin. C'était dans cette île grecque de la mer Égée que nous nous étions quittés, Hans et moi.

Née d'un cataclysme, Santorin semble avoir jailli de la mer sous la poussée d'un monstre marin. Il reste de ces funestes instants une île de scories noires, visible du haut des falaises blanches et ocre dans la rade creusée par le cratère effondré. Vestiges de cataclysme et paix côte à côte. Passé et présent côte à côte. Ici, Thira l'antique, aux ruines trop rares ; là, Thira la neuve, toute de blancheur. Il en va des civilisations comme des amours. Marquées du sceau de l'impermanence, elles risquent de se briser au premier cataclysme !

« C'est le meilleur endroit pour se quitter », avait dit Hans.

Il me laissait tout ce qu'il m'avait appris. Un témoignage d'amour dont je n'aurais rien su dire alors, sinon que j'en avais le cœur et le corps régénérés, renouvelés. J'allais bien, chaque jour un peu mieux. Il m'arriverait souvent, à Montréal, tout en marchant dans la rue, de voir que mon allégresse m'attirait un sourire, un bonjour des passants. Et si d'aventure le désespoir me frôlait comme une écharpe dans la brise, il suffirait d'une phrase, d'un geste de Hans me revenant à la mémoire pour que renaisse l'allégresse.

Mais moi, en quoi l'avais-je enrichi ?

Cette question avait amené un sourire sur son visage. « De toute ta confiance, avait-il dit. Tu m'as laissé t'aider à t'aider. Tu m'as suivi sur un chemin que tu ne connaissais pas. Tu m'as permis de te montrer tout ce qu'il y a de beau en toi. On ne reçoit pas souvent ce genre de cadeau. »

La confiance ! J'ai compris plus tard ce qu'il voulait dire. Quand j'ai commencé à enseigner moi-même le yoga. Certains vous laissent, sans se raidir, corriger une posture, d'autres vous livrent sans détour leurs pensées, leurs rêves. Vous entrez, comme sans frapper, dans leur intimité la plus secrète.

« Je pars l'esprit en paix, avait dit Hans. Nous avons fait ensemble un beau bout de chemin. Je voudrais faire le reste avec toi, mais j'attendrai. Je t'aime. »

Il ne m'en voulait pas. Ni de ne pas faire confiance à la vie, ni de vouloir une séparation qu'il n'approuvait pas. Il ne s'était permis aucun jugement, aucune critique. L'acceptation totale, l'amour total, inconditionnel. Hans, plus jeune que moi, était plus mûr, plus sage, plus généreux que moi!

Je l'avais regardé partir de notre terrasse où tant de fois nous avions médité, bavardé et savouré de l'ouzo. On aurait dit qu'il partait à l'épicerie du coin. Mais au lieu d'enfourcher une moto, il rangeait son sac à dos dans le coffre d'un taxi. Je le renvoyais à sa famille, son travail, sa vie. Un dernier geste de la main. Voilà, il était parti.

J'étais rentrée à Montréal. J'avais étudié le yoga, ouvert un Institut de yoga dans une rue tranquille. Mon groupe d'élèves avait grossi. Seng Soukh était venue travailler avec moi. Tout allait bien. Je rêvais de créer un centre en pleine nature. Les citadins pourraient y séjourner quelques jours, quelques mois, histoire de refaire le plein, de se ressourcer, d'aller à la recherche d'eux-mêmes. Et puis il y avait eu Mark. Qu'est-ce qui l'avait le plus intéressé? Le yoga? Ma personne? Mes projets? Adepte assidu du yoga, il m'avait offert son aide. Morale. Financière. Et l'homme me plaisait, je ne pourrais le nier. Sans doute faisait-il du yoga comme d'autres du jogging, pour sa santé mentale autant que son bien-être physique, mais pourquoi pas? Jamais, il me fallait bien l'admettre, je n'avais senti chez lui cette confiance, cet abandon, dont avait parlé Hans. J'avais poussé l'erreur jusqu'à prendre sa froideur pour de la discrétion. Au nom de la mienne, je m'étais accommodée de la sienne. Et puis, il y avait eu le Mékong…

À Done Khong, comme à Santorin, l'histoire se répétait. Peut-être les îles sont-elles des vases clos propices à la réflexion ? En tout cas, c'était décidé. Après Done Khong, ma vie reprendrait où je l'avais laissée avant le voyage, avant Mark. J'avais fait fausse route.

☙

Dernier soir à Done Khong.

Le soleil était à son zénith quand les amateurs de bicyclette étaient rentrés. Mark était épuisé, rouge comme la crête d'un coq, jusqu'au sommet de son crâne. Il avait bu quantité d'eau, de thé, s'était endormi, à bout de forces, dans l'ombre chaude et moite de la chambre.

Je m'étais endormie moi aussi.

Interminable voyage dans un autobus bondé. Un soldat en uniforme vert, chamarré de décorations rouges, est appuyé contre la porte. Elle s'ouvre. Le soldat tombe. Je crie. On arrête. Le corps est couché devant l'autobus. Pourquoi n'est-il pas à l'arrière, sous les roues? On ramasse le corps. C'est celui d'une femme aux cheveux blonds. Elle porte un chapeau et des lunettes de soleil. On la traîne à l'écart comme une poupée de chiffon.

Je m'étais réveillée en sursaut, couverte de sueur. Mark était allongé sur son lit, les yeux grands ouverts sur le vide.

– Mark, ai-je dit.
Silence.
– Mark, ai-je répété.
– *Stop… There's no need to explain anything.*

Interdite, j'ai insisté. Que voulait-il dire? Il fallait que nous nous expliquions, au contraire! Je m'attendais à ce que nous échangions quelques mots courtois. Ce fut une avalanche, un déluge! Tout sortit, en vrac. Je l'avais trompé sur toute la ligne. Sur le Laos d'abord. Il n'y avait rien à voir dans ce pays, ou si peu, que cela ne valait pas le déplacement, l'énergie, l'argent dépensé. Sur ce plan, je lui avais donné raison lorsque nous en avions discuté, sauf que… descendre le Mékong, pour moi, c'était la réalisation d'un rêve, une manière de mieux nous connaître, une manière de comprendre Seng Soukh. Seng Soukh! Quelle histoire, quelle foutaise! Jamais elle ne m'avait demandé de faire ce voyage. Elle avait tenté de m'en décourager. Est-ce que je me souvenais qu'elle disait que ce serait difficile pour moi, pour nous?

— *You lied to me.*

Moi, mentir! Cette remarque m'avait surprise. Je ne raconte pas tout de ma vie, mais je ne mens pas. Du moins, c'est ce que je pense. J'avais menti, disait-il, en ne lui disant pas toute la vérité. C'était de ma part un manque total de confiance en lui. J'aurais dû l'avertir, le prévenir de ma difficulté à marcher. Il en avait été tellement surpris qu'il n'avait pas su comment réagir. Je lui faisais pitié. Pitié! Quelle horreur!

— Si tu avais été à ma place, Mark, qu'aurais-tu fait?

À ma place, il ne serait pas parti. Quand on est handicapé comme moi, on reste chez soi, on ne se lance pas dans une aventure de fous, dans un pays de fous où même monter dans un autobus est un tour de force!

— Mais si tu n'allais pas bien, ici, maintenant, qu'est-ce que tu voudrais que je fasse?

— I'd tell you to just leave me alone.
— Mark! Je ne pourrais pas te laisser comme ça, tout seul! Non… Je crois que nous nous sommes trompés, que nous ferions fausse route si nous restions ensemble. Il vaudrait mieux que nous en restions là.

Il parut surpris, choqué même.

— Just because we quarrel and can't agree on anything doesn't mean it's over for us. There's more to us than this dreadful trip.

J'ai insisté. Notre dispute n'était pas une petite dispute de rien du tout, au sujet de bagatelles. Nous ne pouvions nous entendre sur rien, et notre vie commune, j'en avais peur, risquait fort d'être à l'image de cet affreux voyage, comme il disait! Cet affreux voyage, il nous avait défaits plutôt que de nous faire! Des cachotteries? Je ne m'en étais pas rendu compte et je lui en demandai pardon. Peut-être un reste de fierté, d'orgueil, d'ego fragile? Je ne savais pas. Quant au présent, notre présent commun…

— Regarde, ai-je ajouté. Tu n'as pour moi aucun geste de tendresse, d'affection. Tu es assis sur ton lit, moi sur le mien. On dirait qu'un mur de verre nous sépare.
— That's because of the way you've been looking at me… Like I've done something wrong. You're so cold, so harsh!

Mais comment je le regarde, cet homme? Comment puis-je être froide, dure? C'était à en rire. J'aurais pu lui reprocher moi aussi d'être froid, dur, encore que les deux icebergs que nous étions auraient dû fondre, dans la chaleur infernale de Done Khong, mais l'heure n'était plus aux récriminations, à l'escalade des griefs et des rancœurs.

– OK. Inutile de nous faire des reproches, de nous faire du mal. Faisons plutôt une méditation.

Il avait refusé. À Done Khong, c'était moi qui méditais et lui qui courait. En descendant le fleuve, nous avions évolué à contre-courant.

L'heure du repas nous avait apporté une accalmie. Tous les convives s'étaient entendus sur un point : il n'y avait plus rien à faire dans l'île. Ceux qui avaient tout vu, tout fait, Mark, les Espagnols, l'Américain, voulaient partir à l'aube, regagner Paksé, Bangkok et la civilisation au plus vite.

Nous étions donc retournés dans notre chambre une dernière fois pour y boucler nos bagages. À l'extinction des feux, nous avions gagné nos lits, tenté de dormir un peu. Impossible de trouver le sommeil. Mark n'avait cessé de se lever, d'aller aux toilettes, de faire couler la douche. À trois heures du matin, il s'était habillé, était sorti. Au bout d'un long moment, inquiète de ne pas le voir revenir, j'étais partie à sa recherche. Je l'avais trouvé sur la terrasse. Avec une jeune fille, jamais vue, née de la nuit, une jeune Asiatique. Étrange présence! Je me permis une question, une seule :

– Ça va, Mark?
– *Yes. Don't worry.*

Perplexe, j'ai regagné la chambre, éteint la chandelle et médité dans le noir. J'ai fini par dormir. À six heures, l'hôtelier tambourinait à ma porte. Je le priai de descendre mon sac à dos à l'embarcadère. D'un signe, je lui fis comprendre de laisser celui de Mark sur son lit. Il eut l'air intrigué : Mark lui-même avait retenu ses services pour nous faire traverser le Mékong.

– *Don't worry*, avais-je dit.

Un dernier regard vers la chambre, la terrasse, l'île qui s'éloignait.

L'autobus est arrivé, tout bringuebalant. Femmes, enfants, vieillards et touristes s'entassèrent sur les sièges, le moteur et le plancher. Les hommes, du moins les plus jeunes, les plus agiles, grimpèrent sur le toit. Les Espagnols arrivèrent à la dernière minute, au dernier trajet de la dernière pirogue. Ils avaient un petit mot de Mark pour moi : *Don't worry*.

Voilà, j'étais libre. Sans savoir ce qui l'avait fait changer d'avis, ni pourquoi il restait dans cette île, ni pourquoi il me laissait partir, ni s'il m'avait jamais aimée.

Pour l'instant, l'heure du départ avait sonné et je n'avais pour seule perspective, seule préoccupation, que ces quatre heures de poussière, de trous, de bosses, d'arrêts brutaux en rase campagne pour ramasser d'autres voyageurs qui s'entasseraient bientôt au mépris des plus élémentaires règles de sécurité. Quatre heures de somnolence générale, exception faite du chauffeur et du contrôleur. Ce dernier, aussi léger et agile qu'un singe, réussit à me tirer de ma torpeur, à m'arracher un sourire, un rire. Agrippé de tous ses orteils au rebord d'une fenêtre pour garder l'équilibre, il passait du toit à la cabine de l'autobus, et inversement. À chaque fois qu'il avait traqué, débusqué, fait casquer ses nouveaux clients, il comptait ses innombrables billets et les enfouissait dans un vulgaire sac de plastique! *Don't worry*, disaient ses yeux pétillants de malice. Il s'amusait, l'air heureux, comme si sa vie était un jeu!

Libre, J'étais libre.
Sans regret.
Sans culpabilité.

Paksé et le Mékong, pour la dernière fois.

Les Espagnols, les Provençaux et l'Américain prenaient immédiatement le traversier et m'invitaient à faire route avec eux jusqu'à Bangkok. L'heure était venue de dire adieu au Mékong. Je ne le reverrais plus, j'en étais sûre, mais il resterait présent dans mes pensées, dans mon souvenir. Comme moi, il irait de l'avant, ne serait jamais plus comme en ce jour où je le quittai. D'ici quelques années, les Japonais auraient mis le dernier boulon au pont; l'autoroute aurait remplacé le bateau pour descendre jusqu'à Done Khong et au casino de la frontière; de nombreux barrages dompteraient ses eaux capricieuses. Désormais apprivoisé, devenu familier, il n'était plus pour moi un mythe, mais un ami. Je le remerciais du fond du cœur. De tous ces rires d'enfants. De ce désir d'enfant né de ses eaux. De ma propre sagesse perçue dans le reflet de son miroir. Grâce à lui, j'avais su que je me trompais, que je n'étais pas pour Mark, pas plus que Mark n'était pour moi. On ne revient jamais d'un voyage comme on est parti, j'en avais déjà eu la preuve.

Sur le traversier, un chauffeur de camion avait accepté, pour une somme ridicule, de nous emmener jusqu'à la frontière. Ainsi, nous n'aurions pas à remonter la berge à pied sous le soleil déjà chaud. Quel voyage! Inoubliable! Assis sur la plate-forme, à même la tôle ou sur nos sacs. Au premier cahot, et parce que j'étais sur une roue, je crus m'envoler. J'eus juste le temps de m'accrocher d'une main, de retenir mon chapeau de l'autre. Une femme me fit signe en riant — qui ne rit pas au Laos? — de venir m'asseoir à ses côtés, derrière la cabine, où régnait un peu d'ombre.

Adieu au Laos.
Achat de bouteilles d'eau avec nos derniers kips.

Passage interminable de la frontière. Que de temps pour qu'un tampon se pose sur un passeport et que de nombreux yeux vérifient si tout est bien en ordre.

La barrière à peine franchie, un monde oublié nous happa. La route était un chapelet de petits négoces. Ananas, noix de coco, oranges, bananes, baguettes, brochettes, bouteilles d'eau et de bière, boissons gazeuses, baladeurs, radios, ustensiles de cuisine, vêtements, chaussures : toutes les mille et une richesses de la caverne d'Ali Baba s'étalaient sous nos yeux. Ce pauvre luxe nous parut tapageur, aberrant. À peine deux semaines! Il avait suffi d'à peine deux semaines pour oublier l'abondance, et l'abondance retrouvée nous agressait.

L'Américain avait pris mon sac sans que je lui demande quoi que ce soit. Je lui avais emboîté le pas, mais quand je me mis à traîner la jambe, il ralentit, m'attendit, me sourit, convint avec les autres qu'ils fileraient devant, histoire de nous retenir une place dans l'autobus. Il m'avait aidée à me hisser sur le tape-cul, avait acheté à la gare mon billet de train en même temps que le sien. Je me sentis prise en charge, comprise, aidée, presque aimée. Une nuit de route encore et l'heure serait venue de nous séparer. Les Espagnols partaient directement pour Kho Samoui, les Provençaux pour la Birmanie, l'Américain resterait à Bangkok en attendant son vol pour les États-Unis. Et moi? J'étais tellement fatiguée, tellement à bout de forces que j'en avais envie de vomir. Sans l'aide de mes compagnons, je crois que je me serais assise au bord de la route et que j'aurais attendu Dieu seul sait quoi!

Cette fois, c'est l'Américain qui l'a dit :

– *Don't worry.*

C'est vrai. Tout finit par s'arranger.

Si, au départ, le train avait été désert, il s'était vite rempli. J'avais ouvert un œil sur un bébé au chandail intrigant. Il m'avait fallu un certain temps pour comprendre qu'au pays de la contrefaçon, CAHNEL devait se lire Chanel. Je m'étais ensuite réveillée avec les cheveux d'une femme dans le visage et puis sa tête, tombée sur mon épaule.

Bangkok! Cinq heures du matin! Le jour se levait sur la ville quand le train entra en gare. J'étais épuisée. Nous avons loué une chambre près du palais royal. C'était William qui l'avait suggéré, ajoutant même que je devais absolument me reposer. Il irait s'occuper de nos billets pendant que je dormirais. Un amour, cet homme! Quand il était revenu, deux heures plus tard, nos deux vols confirmés pour le soir même, je lui avais parlé du Vat Pho, un des plus grands monastères de la ville, célèbre pour son grand bouddha couché méditant dans le sommeil ou la mort, et pour son école de massage, la plus réputée de Thaïlande, où se transmet un art plusieurs fois séculaire. Il ne connaissait pas. Moi si. J'y avais passé une semaine avec Hans, lui servant de partenaire lors de son stage de perfectionnement. Nous ne pouvions quitter Bangkok sans nous y rendre, sans profiter de cette petite jouissance, mon compagnon en avait convenu!

C'est au Vat Pho que l'idée m'est venue.

Puissance de la mémoire! Que de souvenirs m'assaillaient tout à coup, tandis que le masseur me malaxait, me pétrissait, escaladait de ses orteils toutes mes vertèbres, les faisant craquer les unes après les autres. Les mains de Hans, les pieds de Hans, la douceur de Hans, sa force, sa tendresse, son amour. Tout me revenait par bouffées. Les larmes me montaient aux yeux. Comme j'avais été bête! Au nom de quoi lui avais-je dit que notre amour était sans lendemain? J'étais folle, folle à lier.

J'avais composé son numéro avec une crainte énorme au cœur.

La peur.
Peur de le réveiller.
Peur que quelqu'un d'autre que lui ne décroche.

Peur qu'une voix de femme ne réponde.
La peur. Que je croyais avoir vaincue!
Peur inutile.

Hans se levait, en même temps qu'un jour terne sur le Tyrol. Surprise, joie d'entendre ma voix, un rayon de soleil dans son ciel gris. Il m'attendrait à l'aéroport Charles-de-Gaulle le lendemain matin. J'ai raccroché et pleuré. Sans trop savoir de quoi. De peine, de honte, de bonheur! De fatigue aussi, plus sûrement encore.

Nous avons mangé une dernière fois ensemble, William et moi, au restaurant de l'aéroport. Je l'ai remercié de toute sa gentillesse. Il a paru surpris! Quoi de plus naturel, quand on voyage ensemble, que de s'entraider! Les mains dans les siennes, je me suis tue, me demandant simplement si j'avais mal rêvé, si le hasard m'avait fait rencontrer et aimer, du moins un instant, le seul homme au monde qui ne savait pas tendre la main.

☙

PARIS, au petit matin.
Hans, au petit matin.
Comme à Santorin.

Le temps avait glissé sur lui sans laisser de traces. Hans, sa longue silhouette, sa barbe blonde, ses cheveux mi-longs ramenés en queue-de-cheval.

Je n'ai vu que lui dans la masse humaine qui guettait l'ouverture des portes coulissantes. Je suis allée vers lui, l'angoisse au fond du cœur, un nœud dans la gorge. Il m'a ouvert les bras ; je m'y suis pelotonnée.

Hans m'enlevait. Tout de suite. Nous partions par le premier avion. Tout était réservé. Pour huit jours. Nous allions à Santorin. Reprendre le voyage où nous l'avions laissé. Je pouvais encore dire non. Je revenais d'un périple qui ne m'avait pas réussi, alors comment reprendre le premier ? « En faisant confiance à la vie, avait dit Hans. En allant jusqu'au bout de notre histoire puisque j'avais pris le risque de le revoir. »

Il ne faisait pas chaud à Santorin et le ciel était gris. La ville, comme l'île, était vide, silencieuse, tout comme notre maison sur la falaise. Face à la baie des cataclysmes, j'avais tout raconté à Hans. Tout. Le retour à Montréal, mes cours de yoga, le projet de centre, Mark, sa proposition de m'aider, sa demande en mariage, le Laos, les enfants du Mékong, celui que je voulais. Hans avait écouté, sans rien dire, et ce silence qui, avec Mark, m'aurait paru suspect m'avait apaisée.

À nouveau ses mains sur moi, à nouveau cette force magique qui délie les nœuds de mon corps. Je pleure. Mes larmes coulent toutes seules, malgré moi, semblent ne jamais vouloir s'arrêter. Larmes qui m'apaisent, s'apaisent, tandis que je m'endors dans la lumière du jour qui s'achève.

Précieuse, extrême intimité, dont j'avais oublié la saveur. Je dors tout le temps. Hans lit, médite, il fait du yoga, veille sur mon sommeil. Quand j'ouvre les yeux, il sourit, rassurant, présent, patient. Il a préparé du café, un repas, un feu dans la cheminée. Mon bon ange… Comment ai-je fait pour le laisser partir de ma vie?

« Parce qu'il le fallait, que cela était nécessaire », répète-t-il.

J'avais trouvé l'amour et j'en avais fait fi. Au nom d'une passion absente. Depuis, j'avais connu un semblant d'amour, la communion fugace de deux corps qui retournent trop vite à leur solitude.

À nouveau, ce sentiment de bien-être, d'intimité qui dure, persiste, se manifeste, après l'amour, avant l'amour, pendant l'amour, au travers des orages, de la pluie, du vent, du froid.

L'amour, pas la passion.

Un jour, je ne sais plus si c'était le troisième ou le quatrième, il me sembla que j'avais épuisé toutes mes larmes, que mon corps avait retrouvé ses forces et mon esprit un début d'équilibre. J'avais tendu la main à Hans. « Tu es sûre? avait-il dit. C'est bien ça que tu veux ? Tu sais à quoi tu t'engages ? Si nous faisons l'amour, je ne te quitterai plus ; tu ne pourras plus me laisser en plan. Nous ferons route ensemble pour le reste de nos jours. »

Je le savais. À l'instant où je lui avais téléphoné. S'il n'avait pas répondu, s'il y avait eu une femme dans sa vie, j'aurais su que ma chance était passée ; mais voilà, il avait répondu, il avait accouru comme s'il avait attendu mon appel, comme s'il avait su que j'appellerais ce jour-là. Mais, disait encore Hans, cette fois, c'était sérieux. Après la longue attente que je lui avais imposée, il voulait la promesse d'un engagement définitif.

Pour toute réponse, je lui avais ouvert les bras. Un à un, lentement, nous avions enlevé nos vêtements. On aurait dit que nous avions peur de nous effrayer, qu'il nous fallait le temps de nous réapprivoiser, la possibilité de reculer encore, si nous le voulions, devant l'irrémédiable. Je ressentais la gravité de cet instant, savais qu'il la ressentait aussi. Une espèce de timidité aussi nous faisait retarder nos retrouvailles. Nous explorions nos corps nus pour les découvrir à nouveau, nous les réapproprier. Tout me revenait : la douceur de sa peau, son odeur, la finesse de ses membres, la beauté de son jeune corps. J'en avais les larmes aux yeux. Des larmes de bonheur. Comme la première fois, il avait posé ses doigts sur mes cicatrices, les avait caressées, effleurées de ses lèvres. J'étais à lui, pleine et entière, avec toutes les blessures de mon corps et de mon âme. Le bruit de la rue, le vent dans les arbres, le chaos de la baie, les falaises ocre, tout disparut, englouti dans la jouissance. Quand nous étions retombés, chacun de notre côté, enlacés encore, nous avions mêlé nos larmes et Hans avait avoué qu'il avait eu peur de ne jamais me retrouver.

Non. Il ne m'en voulait pas. Il ne m'en avait jamais voulu. Mais comme il avait trouvé le temps long, le silence impossible! Un jour, il avait douté. À cause d'une jeune femme. Elle l'aimait, lui aussi, mais pas assez. Un jour qu'elle le pressait d'arrêter une date de mariage, il avait reculé. Son cœur n'était pas au rendez-vous. Pas tout à fait. Il aurait été malhonnête de fonder avec elle un foyer, une famille. Elle avait eu de la peine, mais elle avait compris.

J'eus peur à nouveau. Un foyer, une famille! Qu'avais-je à lui offrir, moi? Hans n'en savait rien, pas plus que moi. L'enfant, c'était important, mais pas plus impor-tant que nous deux. L'enfant, il viendrait, s'il le vou-lait, si tel était notre destin. La médecine avait fait des progrès, la technologie aussi. Nous pouvions aussi faire le deuil de cet enfant et combler autrement notre désir de lui. Mais il était bien trop tôt pour savoir. Ce qui comptait pour Hans, la seule chose qui comptait pour lui, c'était de savoir qu'il avait fini de m'attendre.

Ainsi l'enfant du Mékong, cet écueil où s'était brisée ma relation avec Mark, restait un avenir possible avec Hans. Tout semblait si facile avec lui. Il savait mieux que personne appliquer dans sa vie le *Don't worry* si cher aux Laotiens. Mais je n'étais pas au bout de mes surprises. Je me mis à penser alors que je n'aurais pas trop de toute une vie pour découvrir cet homme, sa tendresse, sa bonté, sa générosité.

❧

J'AI MIS DU TEMPS à comprendre.
Il s'agissait de Mark.

J'ai d'abord cru que Hans était jaloux, qu'il voulait savoir jusqu'à quel point j'avais aimé cet homme, mais je me trompais. Loin de lui cette idée! Ainsi, Mark avait été un bienfait pour moi, pour nous deux, disait Hans. Sans Mark, sans ce voyage au Laos, j'aurais mis plus de temps à voir clair en moi. Peut-être même n'aurais-je jamais su ce que je voulais! Ce que je voulais, je le savais enfin. Grâce à Mark!

Personne ne pourrait jamais ressusciter David. Le passage à travers le miroir avait rendu tout retour au passé impossible. Si j'acceptais une fois pour toutes cet état de fait, si j'acceptais l'amour-tendresse que j'avais pour Hans, qu'il avait pour moi, alors, le bonheur, la vie à deux, le centre de yoga, tout devenait possible. Mark avait été le chemin pour me faire découvrir cela, pour me faire revenir à lui, Hans, et y rester.

C'était une manière de voir à laquelle je n'avais pas songé.

Mark! Il avait suffi de bien peu de chose en fin de compte pour que je voie en lui sinon l'homme à abattre, du moins l'homme dont je ne voulais plus. Il avait suffi d'un voyage difficile pour me dessiller les yeux. Mais je n'avais pas à lui en vouloir, disait encore Hans. Si je lui en voulais d'être ce qu'il était, de m'être laissée aller à une relation intime avec lui, je faisais erreur. Nul doute que Mark avait été fidèle à lui-même de tout temps. C'est moi qui n'avais rien vu, rien su voir, rien voulu voir. Si le petit mot que m'avait fait parvenir Mark, au moment où j'avais quitté Done Khong, prouvait qu'il était dans ses desseins de me voir partir, je ne pouvais en rester là. Il faudrait un jour ou l'autre lui tendre la main dans un geste de réconciliation, terminer notre voyage, en quelque sorte.

Tout me semblait clair, facile, évident.
Un jour à la fois, un jour de foi.
Chaque jour, un acte de foi puisque le destin nous réunissait.
Pour de bon.

Le temps avait coulé comme du miel à Santorin, mais l'île avait changé. Rien n'est jamais pareil! Sur la plage glaciale, nous nous étions fait poursuivre par des chiens errants, affamés, la plaie des lieux depuis quelque temps. Non, on ne revisite pas le passé. Même avec Hans. Les villages blancs, les coupoles bleues, les falaises ocre, les plages noires, tout ce qui nous avait séduits autrefois, de même que les vieux souvenirs, les années qui nous avaient séparés, nous allions les laisser derrière nous, à jamais. Nous irions de l'avant. Et l'avant s'appelait le Canada.

❧

Montréal.

Poussés par la curiosité où se mêlait une vague culpabilité, mes doigts ont souvent esquissé, après mon retour, son numéro de téléphone. Pour invariablement s'arrêter avant le dernier chiffre. Un jour enfin, je laissai la sonnerie retentir. En vain. Pas de répondeur, pas de boîte vocale, rien sinon le silence. Mon désir de savoir comment il allait, ce qu'il devenait, avait mis en échec ma peur de raviver le passé et de me faire rabrouer. Plus fort encore était mon désir de clore ce chapitre douloureux de ma vie et dont j'avais un peu honte. Cette impression d'erreur, d'échec, jetait une ombre sur mon bonheur tout neuf. Mais, de toute évidence, Mark semblait tout aussi absent de Montréal qu'il l'était de mes cours.

Le hasard fait bien les choses.

C'était un bel après-midi de printemps. Je flânais en ville ; j'allais allègrement dans la foule, m'arrêtant ici et là au hasard d'une vitrine, quand une main se posa sur mon épaule. Je sus tout de suite que c'était lui. « L'homme que je voulais voir », dis-je, en le regardant droit dans les yeux. Il était là, devant moi, en os plus qu'en chair, mais beau comme toujours, un sourire un peu contraint aux lèvres. « *I really wanted to see you too* », répondit-il sans hésitation, comme en écho. C'est lui qui proposa que nous allions prendre ensemble un verre à la terrasse d'un café. Contre toute attente, il me prit le bras et je sentis monter en moi une gêne terrible. Elle grandit encore quand, à peine étions-nous attablés, il me dit à brûle-pourpoint que j'étais plus

141

belle que jamais. Je n'eus cependant pas le temps de réagir ou de rougir que déjà il enchaînait. Il m'avoua le sentiment d'inaptitude qui l'avait envahi dès le début de notre voyage au Laos, la déception, la honte, le regret, l'amertume. Rien ne l'avait préparé à ce genre de voyage. Il n'avait compris ni mon choix initial ni mon insistance à poursuivre une aventure aussi folle. Il avait essayé de donner le change, mais tout de ce pays l'avait agressé, hérissé : ses paysages, sa population, sa misère et peut-être encore plus, sa guerre ! Quant à ma souffrance, elle l'avait pris au dépourvu, elle l'avait désarçonné, pire, figé. Il m'en demandait pardon.

Je l'avais mis à l'aise : tout était bien, je ne lui en voulais pas, bien au contraire. Je n'aurais pas été jusqu'à lui dire que je lui devais mon bonheur, mais je lui parlai de Hans, de nos projets de mariage qui prenaient tournure. Notre projet de centre aussi. Mark parut surpris, puis il me sembla se détendre, comme rassuré. Il avait eu peur, disait-il, peur de m'avoir blessée. Il était soulagé, heureux de me savoir heureuse. Voilà, c'était tout, c'était très simple. Il n'avait qu'un regret, un seul, celui de ne pas avoir su trouver le chemin de ma souffrance.

« Mark, avais-je dit après un silence. Moi aussi, j'ai des excuses à te faire. J'ai l'impression de t'avoir, inconsciemment peut-être, joué un mauvais tour, de t'avoir entraîné dans un traquenard. Ce voyage, c'était un test, pour le meilleur et pour le pire. Seng Soukh nous l'avait dit, que le Laos, ce ne serait pas toujours rose. En plus, je le savais, qu'un voyage, ça vous fait ou ça vous défait. Les gens comme les amours ! Mais je ne voyais pas comment trouver autrement la vérité sur notre couple. Le soumettre aux lois du voyage, c'était le soumettre aux lois du destin qui mieux que nous sait nous guider. »

Mark avait souri, ajoutant que je ne croyais pas si bien dire. S'il m'en avait voulu, puisque nous avions connu le pire, il ne m'en voulait plus. Le Laos en sac à dos avait certes été pour lui une dure épreuve et une désillusion, mais en définitive, l'échec avait fait place à un enseignement durable et, qui sait, peut-être au bonheur! Cette jeune fille que j'avais entrevue dans l'île, elle s'était trouvée là par hasard. Mise sur son chemin par la providence, ou le destin, comme je venais de le dire. Il lui avait spontanément raconté notre équipée, nos projets. Elle l'avait écouté. Pris de nausées, de vomissements et d'un mal de tête que rien ne pouvait calmer, il s'était retrouvé dans sa chambre. Malade à mourir. Curieuse entrée dans la vie d'une inconnue! Pourtant, elle l'avait aidé, réconforté. Grâce à elle, il avait commencé à comprendre un tout petit peu la souffrance que m'avait infligée son indifférence. Il aurait eu honte, trop honte, de m'imposer ses bobos. Il avait décidé de me laisser partir seule. La jeune fille avait attendu avec lui qu'il se rétablisse. Ils avaient regagné Bangkok en avion, ensemble.

Non, ce voyage au pays du Mékong n'avait pas été pour rien. Au contraire, il l'avait interpellé, obligé à réfléchir à ce qu'il voulait faire de sa vie. Depuis, il avait décidé de quitter le Canada. Il retournait chez lui, en Afrique du Sud. Mettre un point final à son passé, son enfance, sa vie d'autrefois; revoir, peut-être une dernière fois, ses parents, sa famille, ses anciens amis. Et puis, il irait au Japon. Le pays l'intriguait, mais pas autant que cette jeune fille... Elle l'attendait. Il se demandait s'il l'aimait, si une vie avec elle était possible, s'il faisait une folie, mais il avait confiance en l'avenir, même s'il avait un peu peur. Elle était jeune, beaucoup plus jeune que lui, et elle voulait un enfant. La vie se réserve le droit d'être ironique, n'est-ce pas?

Voilà, loin d'avoir été inutile, notre expédition au Laos avait été une bénédiction! L'école du voyage avait été plus dure que celle du yoga! Sans le vouloir, il avait dû faire face à ses limites. Il se sentait désormais plus mûr, plus tendre aussi. Et meilleur. Il n'aurait pas voulu partir sans me dire tout cela. Sans me dire merci.

Sa lucidité, son humilité, sa franchise m'avaient touchée. L'aveu de mes propres erreurs m'avait soulagée. Nous nous étions souhaité chance et bonheur.

෴

Au bord du Saint-Laurent, dont on dirait à cet endroit qu'il est un lac, nous avons bâti notre maison. Une grande maison sur un promontoire. Telle un phare.

Tout me plaît dans cette maison et tout m'inspire : sa simplicité, son harmonie. Au rez-de-chaussée, une immense pièce s'ouvre par de larges baies sur le fleuve, laissant entrer des flots de lumière. C'est la pièce qui sert au yoga, à la méditation, aux conférences, aux rencontres formelles. Il y a là quelques chambres aussi. À l'étage, une salle à manger, un salon avec une cheminée pour les causeries des soirs d'hiver et de confortables fauteuils pour la lecture, le repos; une grande cuisine, où se préparent en commun les repas. Un peu à l'écart, nos appartements privés. En haut, sous les toits, d'autres chambres.

Dehors coule un ruisseau. En été, les grenouilles y coassent. En hiver, les enfants y patinent et, par les nuits de pleine lune, les grands bouleaux jettent leur ombre dégingandée sur sa glace qui miroite. Le soleil se couche derrière les collines couvertes de pins. Deux collines toutes proches, blotties l'une contre l'autre. Tout comme notre couple. Solide. Soudé.

Hans et moi avons voulu nous unir en cet endroit avec lequel nous faisons corps. Mariage champêtre, en accord avec nos goûts, nos désirs. Les parents de Hans étaient venus tout exprès du Tyrol. Ils disaient se réjouir du bonheur de leur fils et je les sentais, sinon débordants d'affection, du moins généreux à mon égard. William était venu lui aussi tout exprès de

Chicago, sans son chapeau de cow-boy cette fois. Michael était arrivé du Vermont, en bicyclette! Il fait partie de notre vie depuis qu'il a rencontré Hans et déclaré que ce gars-là, il était pour moi! Il nous apporte son concours dans des travaux de toute sorte. Michael, faut-il le dire, est entrepreneur en construction.

Bien entendu, Seng Soukh était là. Pour elle aussi, une nouvelle vie commençait sur le fleuve. Elle n'aurait pas à le traverser, celui-là, mais il deviendrait un compagnon de tous les instants, comme l'était son mari. Ils travailleraient avec nous. Nous avions besoin d'eux, de leurs talents, de leur générosité, de leur enthousiasme pour mener à bien notre tâche.

Mark, le grand absent, était pourtant présent. Il nous avait fait parvenir du Japon, avec un bouquet de fleurs, ses très sincères (souligné deux fois) vœux de bonheur. Et une promesse de visite dans un avenir, il est vrai, un peu flou. Tout allait bien pour lui. Il était heureux avec Hiroko, pratiquait le bouddhisme zen et se marierait peu de temps après nous. Lesquels d'entre nous, écrivait-il non sans malice, auraient un enfant en premier?

Un prêtre de nos amis avait béni notre union dans un canot, entre ciel et eau. Tout était calme et beau en cette journée où l'automne avait jeté ses premières flaques d'or et de pourpre sur la forêt. Nous étions vêtus de blanc et nous portions au cou les guirlandes de fleurs que nos invités avaient tressées pour nous. Une nouvelle vie commençait. Généreuse, pleine de promesses qu'elle tiendrait, nous en étions certains. Nous nous fîmes le serment de nous aimer toujours, mais surtout, de garder cet idéal d'amour, de com-passion et d'authenticité, en dépit des obstacles et des soucis que nos choix ne manqueraient pas de nous valoir.

Sur la rive, famille et amis avaient applaudi à tout rompre.

∽

Uɴ ᴇɴꜰᴀɴᴛ du Mékong
joue et rit
au bord du Saint-Laurent.
Qui l'aurait dit?
Qui l'aurait cru?

Tu nous es arrivée comme par enchantement, petite
fille attendue, désirée. Un don du ciel, un cadeau des
dieux. Tu as la peau cuivrée, les cheveux d'un noir de
jais et les yeux en amande. Comme Seng Soukh, dont
tu es une vague parente. Nous sommes allés te chercher avec elle, à Vientiane. Tu es née quelque part sur
le fleuve, entre Vientiane et Luang Prabang. Tu es la
première des enfants que nous aurons. Pas la dernière!
D'autres viendront, du Mékong ou d'ailleurs. Tu as
pour l'instant trois grandes sœurs qui te dorlotent, en
vraies petites Laotiennes : les trois filles de Seng Soukh.
On pourrait vous croire sœurs, en effet. Mêmes visages,
mêmes cheveux, mêmes rires qui me ramènent invariablement à Done Khong, sur le Mékong, avant que
tout devienne plus beau, plus doux, plus tendre dans
ma vie. À vous écouter jouer, dans cette langue encore
impossible pour moi, je me demande parfois de qui tu
es vraiment la fille! Mais quelle importance? Nous
formons tous une grande famille et nous ne serons
jamais trop nombreux pour nous occuper de la cuisine, du ménage, du jardin de fleurs, du potager, du
bois à couper pour l'hiver, des pistes à entretenir et de
nos invités qui viennent, de plus en plus nombreux, se
ressourcer chez nous.

Toute petite que tu es, tu pratiques déjà le yoga et tu
restes assise de longues minutes avec nous, à méditer

sur un coussin. Ton sérieux nous étonne. Lorsque tu en as assez, tu dessines, et le seul bruit qui s'entende alors est celui de tes crayons de couleur crissant sur le papier. Le plus souvent cependant, tu es une petite fille joyeuse, rieuse !

Tu t'appelles Allegra et tu portes bien ton nom. Tu donnes et tu es l'allégresse. Tu scelles notre bonheur.

∽

Dans la même collection

PAO : Réalisation des Éditions Vents d'Ouest inc. (Hull)
Impression : Imprimerie Gauvin ltée (Hull)

Achevé d'imprimer en septembre deux mille

Imprimé au Québec (Canada)